Das Essen zum Wein

Lisl Wagner-Bacher

Ein A la Carte-Kochbuch im D+R Verlag

Herausgeber, Redaktion und Konzept **Christian Grünwald**
Chefin vom Dienst **Katharina Kunz**
Fotos **Luzia Ellert**
Grafik **Sarka Langer-Dejmalova**
Lektorat **Martin Grill, Charlotte Richter**
Produktion **Martina Moser**

Reproduktion **Repromedia** 1110 Wien
Druck **Wograndl Druck** 7210 Mattersburg, printed in Austria
Hersteller **D+R Verlag** 1110 Wien, Leberstraße 122
Telefon +43/1/740 77-0
www.alacarte.at, www.dundr.at

ISBN **978-3-902469-09-0**

EDITION A LA CARTE

13 Grüner Veltliner

47 Riesling

71 Chardonnay

79 Weißburgunder

83 Neuburger

87 Gelber Muskateller

93 Sauvignon Blanc

99 Blaufränkisch

107 Pinot Noir

111 Syrah

115 Merlot

119 Rotwein-Cuvées

131 Süßwein

Das Essen zum Wein

Wir sind stolz darauf, in der Weinregion Wachau als eine Art Kompetenzzentrum für das Zusammenspiel von Ess- und Weinkultur zu gelten. Selten wo auf dieser Welt kann man in so vielfältiger Art und Weise gelebte Weinkultur antreffen wie hier in der Wachau, wo schon seit mehr als 2.000 Jahren Weinbau betrieben wird. Unsere Weinkarte weist knapp 1.000 Positionen auf, vieles davon stammt aus dem Bordelaise und anderen internationalen Weinbaugebieten, vieles stammt aber natürlich auch aus unserer unmittelbaren Nachbarschaft.

Aus dem täglichen Umgang mit den besten Weinen der Welt resultiert ein Erfahrungsschatz, den wir nun mit Ihnen, liebe Leser, teilen wollen. Während in herkömmlichen Kochbüchern ein „Best of" der jeweiligen Küche zu finden ist, präsentieren wir Ihnen in diesem Buch Speisen, die aufgrund der Zutaten und Würzung besonders gut mit Wein harmonieren. Bei der Speisenauswahl legten wir zudem besonderes Augenmerk auf die einfache Nachvollziehbarkeit der Rezepte.

Der zur jeweiligen Speise empfohlene Wein stellt für unsere geschmacklichen Vorstellungen eine Art Nonplusultra dar. Gleichzeitig soll Ihnen diese Weinempfehlung aber auch ein Anhaltspunkt für individuelle Geschmackskombinationen sein. Im Interesse einer möglichst großen Alltagstauglichkeit finden Sie bei den einzelnen Rebsortenartikeln auch noch weitere Vorschläge für Wein-Speisen-Kombinationen mit so genannter Hausmannskost.

Gleichwohl unser Keller alle nur erdenklichen Weine umfasst, haben wir uns bei den Weinempfehlungen für dieses Buch aufgrund der besseren Nachvollziehbarkeit bewusst auf trockene Weißweine aus der Wachau, dem Kremstal und dem Kamptal sowie Rotweine aus dem Burgenland eingeschränkt. – Letztlich sind das auch in unserem Haus jene Weine, mit denen wir im Alltag am häufigsten Umgang haben.

Seit mehr als zwei Jahrzehnten honorieren in- und ausländische Restaurantführer unsere Qualitätsbemühungen mit Höchstwertungen. Am wichtigsten ist uns aber natürlich das Wohlbehagen unserer Gäste. Dazu gehört es auch, schrittweise Modernisierungen greifen zu lassen. Rein äußerlich drückt sich das im kürzlich erfolgten Umbau des Restaurants aus, bei dem sich unsere beiden Töchter Christina und Susanna enorm eingebracht haben. Personell wird das durch die immer stärkere Präsenz unseres Schwiegersohnes Thomas Dorfer deutlich, der mittlerweile zum Co-Küchenchef aufgestiegen ist und mit seinem großen Talent und kreativen Enthusiasmus für eine zusätzliche Geschmacksdimension sorgt. Ihm und der gesamten Küchencrew gilt auch unser Dank für die Unterstützung bei der Produktion dieses Buches.

Wir wünschen Ihnen viel Freude beim Nachkochen, Nachtrinken und Schmökern.

Lisl und Klaus Wagner-Bacher

Mancher Fisch sieht gerne rot

Klaus Wagner-Bacher hütet einen der besten Weinkeller des Landes. Sein Know-how in Sachen Weinwahl ist durch eine jahrzehntelange Praxis mit den besten Weinen der Welt gekennzeichnet.

Das eherne Gesetz, wonach zu Fisch kein Rotwein passt, stimmt schon längst nicht mehr. Erlaubt ist, was schmeckt. Und oft lebt das kulinarische Zusammenspiel von den Kontrasten. In Restaurants hat man manchmal diese besonderen Glücksmomente.
Der elegante Rotwein ergänzt auf fantastische Weise das Rehmedaillon mit Balsamicosauce. Säure wie Frucht verbinden sich mit jedem Schluck und Bissen zu einem kulinarischen Gesamtkunstwerk. Jeder Genießer hat derartige Kombinationen im Kopf, die nach steigerungsfähigen Nachahmungen verlangen.
Groß ist dann der Frust, wenn daheim der edle Tropfen so gar nicht zum an sich gelungenen Gericht passen will. Auch wenn Speise und Wein vom Feinsten sind: Die Harmonie geht oft recht seltsame Wege.
Wein ist ein idealer Speisenbegleiter. Er fördert die Verdauung; während des Essens getrunken, verträgt unser Körper auch den Alkohol viel besser. Dass eine schöne Flasche Wein zu einem Essen gehört, ist also evident; schwieriger ist die exakte Antwort auf die Frage, welcher Wein tatsächlich zu welchem Essen passt. Die althergebrachte Faustregel „weißer Wein zu weißem, roter Wein zu dunklem Fleisch" ist zwar an sich hieb- und stichfest, verspricht einem aber noch lange keine außergewöhnlichen Gaumenfreuden. Wer zum gekochten Rindfleisch einen schönen Rotwein, zum Fisch einen eleganten Weißen trinkt, kann zwar sicher sein, nichts falsch gemacht zu haben. Die optimale Wahl könnte aber anders aussehen. Weil beim Rindfleisch ja auch noch Röstkartoffeln, Schnittlauchsauce und Apfelkren dabei sind, wozu optimal ein kräftiger Neuburger passt. Und wenn der Fisch „Serbischer Karpfen mit Erdäpfeln" heißt, dann kann ein schöner kühler Zweigelt Wunder wirken. Die Farbe des Fleisches ist also nur ein Kriterium für die Weinwahl. Viel wichtiger sind Würzung, Zubereitung, Beilagen und vor allem die Sauce. Heute sind Saucen stark reduzierte, besonders aromareiche Fonds, die Fisch und Fleisch erst den entscheidenden Pfiff geben. Entenbrust, Freilandhuhn und Kalbsmedaillons – ohne Sauce sind die Geschmacksunterschiede nicht spektakulär groß. Ebenso ähneln sich diverse Fischsorten wie ein weißes Ei dem braunen.

Wer nun über die Geschmacksdominanz Bescheid weiß, befindet sich auf dem richtigen Weg, aber noch lange nicht am Ziel. Schon die kleinste Unregelmäßigkeit kann alle Weinempfehlungen über den Haufen werfen. Immerhin ist hier von einem Produkt die Rede, das sich mit jedem Jahrgang anders präsentiert, von Rebsorten, die in jeder Region eine andere Geschmackstypizität besitzen. Ein Beispiel: Zum klassischen Wiener Schnitzel mit Vogerl- und Erdäpfelsalat passt optimal ein würziger, fruchtiger, junger Grüner Veltliner aus der Wachau. Weil der Teufel nicht schläft, erwischen Sie aber einen Veltliner, der schon eher reif, vollmundig wirkt und die sonst übliche Säure vermissen lässt. Womöglich ein großer Wein, aber völlig falsch zum essigsauren Salat, der jeden anderen Geschmack niederkämpft.
Da hilft nur: nicht ärgern – trinken. Und zwar vor und nach dem Essen, um damit den Genuss von Wein und Speise möglichst wenig zu trüben. Wirklich große Weine sind ohnehin ein solistisches Erlebnis. So komplex und vielfältig ein majestätischer Bordeaux auch sein mag, oft passen dazu nur in der Zubereitung recht simple Speisen wie Steak oder Lammrücken.
Der goldene Mittelweg sind daher nicht die von Weinhändlern und Guides viel gelobten und hochkonzentrierten „Granaten", sondern schmackhafte Mittelklasse, die zumeist delikate

Speisenbegleiter sind und erfreulicherweise nicht so stark das Budget belasten. Demnach lautet eine der vielen Regeln: einfache Weine zu komplexen Gerichten, komplexe Weine zu einfachen Gerichten. Mögliche zuverlässige „Dienerweine", die Sie kaum im Stich lassen: steirische Welschrieslinge; junge, fruchtig-frische Grüne Veltliner; unkomplizierte Blaufränker. Harmonie ist allerdings nur eine Seite der Medaille. Oft lebt das kulinarische Zusammenspiel auch von den Kontrasten. Wer je eine halbtrockene Riesling-Auslese zu Wild oder eine Trockenbeerenauslese zu Roquefort-Käse probiert hat, weiß davon ein Loblied zu singen. Weine zu Käse und Dessert sind ein ganz spezielles Kapitel: Zu fettigem Käse macht sich Rotwein gut, Blauschimmel-, Ziegen- und Hartkäse vertragen sich mit charaktervollen Weißweinen, manchmal darf es auch eine Beerenauslese sein. Bei Desserts reicht das mögliche Kombinationsangebot von den burgenländischen Trockenbeerenauslesen über Riesling-Auslese bis hin zu Portwein und Champagner.

Sie merken schon: Streng genommen kommt die Zusammenstellung eines Menüs einer Rechnung mit 20 Unbekannten gleich. Wie auch immer: Dogmen beim Genießen sind nie gut. Wenn Sie abends einen schönen Rotwein trinken wollen, dann tun Sie es – auch wenn es weißes Fleisch zu essen gibt. Wichtig ist nicht nur die Zusammenstellung der Weine und Speisen, sondern auch – und vor allem – die Abfolge der Speisen und Weine untereinander. Starten Sie mit leichten Weißweinen, ehe Sie stärkere Kaliber folgen lassen. Nach einem wuchtigen, im Barrique ausgebauten Chardonnay, wird ein filigraner roter Burgunder eher ärmlich schmecken. Ähnlich verhält es sich bei den Speisen. Essen Sie nicht zu salzig vor Süßem, vermeiden Sie allzu viele schwere Saucen, würzen Sie nicht schon die Vorspeise heftig, weil sonst keine Steigerungen möglich sind. Jeder Gaumen ist in dieser Hinsicht unerbittlich und goutiert die logische Abfolge vom Einfachen zum Komplexen.

KOMBINATIONEN, DIE FUNKTIONIEREN

Säure und Fett Weinsäure löst fettreiche Speisen auf, sie wirken bekömmlicher; die Säure des Weines wirkt dagegen nicht so aggressiv.
Süße und Säure Fruchtsäuren von Obst verbinden sich perfekt mit Süßweinen. Der Wein wirkt frischer und fruchtiger.
Süße und Süße Diese Kombination wirkt weniger süß, als sie tatsächlich ist. Darum schmeckt die Trockenbeerenauslese so gut zum Apfelstrudel.
Tannine (Bitterstoffe) und Fett Neutralisieren einander weitgehend. Junge, unreife Weine schmecken plötzlich sehr brauchbar (z. B. Rotwein und Käse).
Tannine und Röststoffe Ähnlich wie zuvor. Durch gebratenes und gegrilltes Fleisch und das darin enthaltene Protein schmeckt der Wein viel weicher, als er tatsächlich ist.

WAS NIEMALS SCHMECKEN WIRD

Säure und Säure Summieren sich zu einem metallischen Spektakel zwischen den Zähnen.
Säure und Salz Summieren sich auf aggressive Weise.
Tannine und Säure Fast unlösbar. Jede Geschmackskomponente wird unangenehm verstärkt. Essig oder Zitrone lässt die Gerbstoffe im Wein völlig bitter wirken.
Tannine und Salz Unmöglich, harmonieren in keiner Weise.
Tannine und Süße Schon bei Bitterschokolade scheiden sich die Geister …

Genug der Regeln. Probieren ist das halbe Vergnügen. Sollten Sie daheim zu jedem Gang einen Wein servieren, ist es schön, wenn Sie genügend Gläser im Haus haben. Dann kann man immer wieder zu den vorangegangenen Weinen zurückkehren und womöglich unvermutete Kombinationen entdecken. Natürlich ist auch das Gegenteil möglich, aber sehen Sie es positiv: Jede misslungene Zusammenstellung ergibt für eine Genießerrunde ein wunderbares Gesprächsthema.

GR. VELTLINER
AUSLESE
Wachau
2004

Grüner Veltliner

Keine andere Rebsorte hat sich in Österreich im letzten Jahrzehnt qualitativ so eindrucksvoll entwickelt wie der Grüne Veltliner. Es ist keine Übertreibung, wenn man den Grünen Veltliner – auch aus internationaler Sicht betrachtet – als einen der besten Weißweine der Welt bezeichnet. Waren anfangs nur heimische und in Folge auch europäische Weinjournalisten Veltliner-Fans, ist mittlerweile auch der mächtige amerikanische Weinkritiker Robert Parker restlos überzeugt: Er bewertet die hochkarätigen Grünen Veltliner mitunter mit 98 von 100 möglichen Punkten. – Das ist absolute Weltklasse!
Der Grüne Veltliner kommt mehrheitlich aus Niederösterreich. Gesamt nimmt die Sorte etwa ein Drittel der österreichischen Weinbaufläche ein und ist damit die mit Abstand häufigste Rebsorte des Landes. Hochkarätige Grüne Veltliner besitzen eine Lagerkapazität von 30 Jahren und mehr.

STIL UND GESCHMACK
Die Spielarten des Grünen Veltliners reichen vom leichten, trockenen Weißwein mit 10,5 bis 11,5% Alkohol über den mittelgewichtigen Veltliner mit 12 bis 12,5% bis zu den kräftigen, trockenen Weinen mit 14% und nicht selten auch noch mehr. Die Rebsorte wird nun auch im hohen bis höchsten Prädikatsbereich vinifiziert. Der typische Grüne Veltliner ist klassisch trocken, hat einen würzigen, manchmal auch pfeffrigen Geschmack und ist von mitunter sehr verführerischen Fruchtaromen nach Apfel, Ananas etc. begleitet. Die Säure junger Weine ist in der Regel erfrischend, aber niemals dominant. Ältere, gereifte Weine bringen im Idealfall Bukettreichtum und Substanz, gepaart mit beeindruckender Eleganz.

PASST ZU
In der Praxis hat der Grüne Veltliner vor allem einen enormen Vorteil: Er ist als Speisenbegleiter so universell einsetzbar wie kaum eine andere Rebsorte. Junge, leichte Weine passen zu einer deftigen Jause und kalten Vorspeisen. Gereifte Grüne Veltliner sind wunderbare Begleiter zu Fleischgerichten und auch zu vielen Speisen mit asiatischen Aromen.

Bis 12,5 Vol.-% Alkohol
Eiernockerl
Schinkenfleckerl
Fleisch- und Grammelknödel
Faschierte Laibchen
Blunzengröstl
Reisfleisch
Gefüllte Kalbsbrust
Beef Tatar
Naturschnitzel mit Risipisi
Schweinsbraten mit Erdäpfelknödel
Gebackene oder geröstete Schweinsleber

Ab 12,5 Vol.-% Alkohol
Warme Käsegerichte
Schnittkäse
Fischgerichte mit kräftiger Sauce
Gebratenes oder gebackenes Geflügel
Schnecken
Pasta mit Käse
Quiche Lorraine
Gebackene Champignons mit Sauce tartare
Faschierter Braten
Rindsgulasch
Wiener Schnitzel
Geschmorte Kalbsstelze
Vanillerostbraten
Gekochtes Rindfleisch, etwa Tafelspitz
Cordon bleu
Gebackener Karpfen mit Erdäpfelsalat
Heringsschmaus

Kalbsbries „Wiener Art" mit Erdäpfelsalat

40 Minuten (ohne Stehzeiten)/aufwendig

Zutaten für 4 Personen

Für das Kalbsbries
300 g Kalbsbries (Herzstück)
Butter
Salz, Pfeffer
Mehl
2 Eier
Schuss Obers
Weißbrotbrösel
Fett zum Backen

Für den Erdäpfelsalat
500 g Erdäpfel (speckige Sorte)
etwas heiße Rindsuppe
Essig
Salz, Pfeffer
Senf
Prise Zucker
Öl

Zum Anrichten
Eis- oder Häuptelsalat
gehackte Kürbiskerne
Kernöl

Das Kalbsbries so lange wässern, bis es schön weiß ist. Am besten nur die großen Briesrosen verwenden. Briesstücke enthäuten und von den Sehnen befreien. Bries trocken tupfen, danach die einzelnen Stücke straff in Klarsichtfolie einrollen. Das Ganze nochmals in Alufolie einwickeln, straff zusammenziehen und 15 Minuten in heißem Wasser pochieren (am besten nur ziehen lassen). Danach für mindestens 2 Stunden in den Kühlschrank stellen.
Das gekühlte Bries auspacken, in Scheiben schneiden und salzen. In Mehl wenden, durch die mit etwas Obers und Salz aufgeschlagenen Eier ziehen und mit den Bröseln panieren. In reichlich heißem Fett schwimmend backen. Auf Küchenpapier abtropfen lassen, vor dem Servieren einmal aufschneiden und auf lauwarmem Erdäpfelsalat, etwas Eis- oder Häuptelsalat sowie mit gehackten Kürbiskernen und Kernöl anrichten.

Für den Salat die Erdäpfel kochen, noch heiß schälen und in Scheiben schneiden. Für die Marinade Suppe mit Essig, Salz, Pfeffer, Senf und Zucker gut verrühren und individuell abschmecken. Noch warm über die vorbereiteten Erdäpfel schütten, mit Öl übergießen und gut durchmischen. In dieser Marinade wird auch der grüne Salat mariniert.

TIPP *Man kann als Variante auch fein gehackte Kürbiskerne unter die Brösel mischen und so panieren. Der Salat erhält durch die Zugabe von etwas Mayonnaise und einem finalen Schuss Kürbiskernöl eine ganz besondere Geschmacksnote.*

SCHLOSS GOBELSBURG ALLERHEILIGENSTIFTUNG Grüner Veltliner 2005/2006
Die Trauben stammen aus den Rieden Grub, Renner und Lamm, rund um den Heiligenstein. Der Wein, dessen Reben jünger als 20 Jahre sind, präsentiert sich mit einer klassischen Nase, am Gaumen hat er Untertöne von Rhabarber und wirkt ziseliert und rauchig mit nervigem Abgang.

Grammeltascherl mit weißem Rahmrettich

35 Minuten (ohne Stehzeit)/aufwendig

Zutaten für 4 Personen

Für den Brandteig
300 ml Milch
25 g Butter
200 g Mehl
Salz
3 kleine Eidotter

Für die Fülle
100 g Erdäpfelwürfel
100 ml Suppe
100 g Grammeln
Salz, Pfeffer
Kümmel
etwas Knoblauch
etwas Schnittlauch
Butter
Öl zum Backen

Für den Rahmrettich
400 g Rettich
Salz
100 ml Obers
50 ml Sauerrahm
Pfeffer
gemahlener Kümmel

Für den Brandteig in einem Topf Milch und Butter aufkochen, Mehl einrühren und unter ständigem Rühren so lange „abbrennen", bis sich der Teig vom Topf löst. Teig salzen und etwas abkühlen lassen, danach mit der Küchenmaschine die Dotter einrühren. Den Teig ca. 1 Stunde rasten lassen.

Für die Fülle die gekochten Erdäpfelwürfel in Butter und wenig Suppe sämig kochen; zum Schluss die knusprigen Grammeln untermischen. Mit Salz, Pfeffer, Kümmel und einem Hauch Knoblauch würzen. Den Teig ausrollen, in regelmäßigen Abständen kleine Häufchen mit der Grammelfüllung auflegen. Mit einer Form oder einem Teigrad passende Stücke ausschneiden und Ravioli formen, dabei die Teigränder gut zudrücken. Die Ravioli (bzw. Grammeltascherl) in heißem Fett backen, danach auf Küchenpapier abtropfen lassen.

Rettich schälen, in feine Streifen schneiden und kurz in Salzwasser blanchieren. Rettich mit etwas Obers und Sauerrahm sowie den Gewürzen in einem Topf zugedeckt weich dämpfen. Grammeltascherl auf dem Rahmrettich anrichten, mit Schnittlauch garniert servieren.

JAMEK, JOCHING ACHLEITEN Grüner Veltliner Federspiel 2005/2006
Trockener, feingliedriger Wein mit dichtem, mineralischem Extrakt, intensiver Nase nach Äpfeln und feinem Blütenaroma. Diesen Grünen Veltliner sollte man jung trinken.

Kürbislasagne mit Kernöl

40 Minuten (ohne Stehzeiten)/aufwendig

Zutaten für 4 Personen

8 Strudelteigblätter
1 Eiklar
4 Petersilblätter
Öl zum Backen

300 g Muskatkürbis
Salz
2 Schalotten, fein geschnitten
Butter oder Öl zum Braten
1 Knoblauchzehe
125 ml milde Rindsuppe
Pfeffer
1 EL Rohschinken, feinst-würfelig geschnitten und knusprig gebraten
1 EL Kürbiskerne, gehackt
Kernöl (nach Geschmack)

250 ml Obers
etwas geriebener Parmesan
16 Lasagneblätter

Strudelteigblätter in gewünschter runder Form ausstechen. Vier Blätter mit Eiklar bestreichen, jeweils ein Blättchen Petersilie darauflegen und mit einem Strudelteigblatt abdecken. Die so vorbereiteten Blätter im Tiefkühler gefrieren und vor dem Servieren in reichlich Öl knusprig backen.

Kürbis schälen und in 5 mm dicke Rauten schneiden, diese etwas salzen, ziehen lassen, danach ausdrücken. Schalotten in heißem Fett kurz anschwitzen, ohne Farbe nehmen zu lassen. Kürbis zugeben, mit fein gehacktem Knoblauch würzen und mit etwas Suppe weich dünsten. Mit Salz, Pfeffer, Schinkenwürfeln, gehackten Kürbiskernen und etwas Kernöl abschmecken.

Obers und Käse in einem Topf etwas einkochen. Die Lasagneblätter in Salzwasser kochen, rund ausstechen und in der reduzierten Obers-Käse-Mischung schwenken. Lasagneblätter mit dem Kürbis belegen und jeweils 4 Blätter übereinander anrichten. Zum Schluss mit dem knusprig frittierten Strudelteigblatt belegen und mit der Obers-Käse-Sauce anrichten.

UNDHOF SALOMON, KREMS WIEDEN Grüner Veltliner 2005/2006

Dieser Grüne Veltliner steht auf einem gemischten Boden mit altem Rebbestand. Die Reben wurden selbst veredelt (Wiedenklon). In der Nase hat er zarte Zitrus- und Blütentöne und am Gaumen besticht er mit seinem Charakter und Steinobstanklängen. Jung trinken.

Gebackener Mozzarella mit geschmorten Paradeisern

30 Minuten/leicht

Zutaten für 4 Personen

Für die Paradeiser
2 große reife Paradeiser
Butter
1 Schalotte
1 Knoblauchzehe
Zucker
Salz, Pfeffer
300 g Kirschparadeiser
frisches Basilikum
Balsamico
Olivenöl

Für den Mozzarella
3 Eier
Salz
180 g Mehl
125 ml Weißwein
300 g Mozzarella
Mehl
reichlich Öl zum Backen

Aus den beiden großen Paradeisern den Strunk herausschneiden, Fruchtfleisch vierteln. In einer Kasserolle mit etwas Butter und fein geschnittener Schalotte und Knoblauch anschwitzen, mit Zucker, Salz und Pfeffer würzen. Zugedeckt weich schmoren, danach passieren. Die Kirschparadeiser kreuzweise einschneiden und in kochendem Wasser kurz blanchieren, danach schälen und in den passierten Paradeisern 5 Minuten schmoren. Mit frisch geschnittenem Basilikum, Balsamico und Olivenöl abschmecken.

Für den Teig die Eier trennen. Die Dotter gut aufschlagen, salzen, Mehl und Wein dazurühren. Zum Schluss die geschlagenen Eiklar unterheben. Mozzarella in gewünschte Größe schneiden, zuerst durch Mehl, dann durch den Teig ziehen. In heißem Fett schwimmend herausbacken. Auf Küchenpapier abtropfen und dann auf den Paradeisern anrichten. Mit Basilikum garnieren.

OTT, FEUERSBRUNN FASS 4 Grüner Veltliner 2005/2006
Der Klassiker des Hauses: mineralisch, würzig, mit dezentem Duft. Frisch und fruchtig, mit typischem Pfefferl – jung trinken.

Paprikaküken

30 Minuten/leicht

Zutaten für 4 Personen

4 Stubenküken
Salz
Olivenöl

Für die Sauce
4 Schalotten
1 Knoblauchzehe
1 Paradeiser, geschält und entkernt
1/2 grüner Paprika
1 EL edelsüßes Paprikapulver
250 ml Hühnerfond
1 TL Tomatenmark
etwas Zitronensaft
1 EL Sauerrahm
1/2 gelber Paprika
1/2 roter Paprika

Zum Anrichten
Sauerrahm
Schnittlauch

Stubenküken vierteln, die Brustknochen auslösen, salzen und in heißem Öl rundum braten. Im Rohr bei 130 °C fünf Minuten ziehen lassen.

Für die Sauce Schalotten und Knoblauch fein schneiden und in etwas Öl mit dem Paradeiser anschwitzen. Den geschälten und klein geschnittenen grünen Paprika zugeben, kurz mitrösten. Paprikapulver bei nicht zu viel Hitze einrühren und mit dem Hühnerfond aufgießen. Tomatenmark dazugeben und aufkochen. Mit Salz, Zitronensaft und Sauerrahm abschmecken. Gelben und roten Paprika schälen, in kleine Rauten schneiden und in Öl langsam weich braten.
Die Hälfte davon in die Sauce geben und diese pürieren.

Die Stubenküken kurz vor dem Anrichten in die Sauce legen, fünf Minuten ziehen lassen. Auf Tellern anrichten, mit den verbliebenen Paprikastücken bestreuen und mit einem Tupfen Sauerrahm sowie etwas Schnittlauch garnieren. Am besten mit Nockerln servieren.

EHN, LANGENLOIS PANZAUN Grüner Veltliner 2005/2006
Stammt vom Lössboden und besticht durch seine würzige, fruchtige und pfeffrige Note.
Ein süffiger Grüner Veltliner, jung trinken.

Mariniertes Rindsfilet mit Artischocken-Topinambur-Salat und Trüffelvinaigrette

$2^1/_2$–3 Stunden (ohne Stehzeit)/aufwendig

Zutaten für 4 Personen

600 g Rindsfilet
Salz, Pfeffer
1 EL Öl

Für den Salat
4 Artischocken, gekocht
4 Topinamburs, gekocht und geschält
60 ml Portwein
2 EL Madeira
250 ml kräftiger Geflügelfond
Sherryessig
dunkler Balsamico
Trüffeljus
Traubenkernöl
1 Périgord-Trüffel, geputzt und in feine Streifen geschnitten
Salz, Pfeffer
Zucker
weißer Balsamico

Zum Anrichten
Pinienkerne
geputzter Rucola

Das Rindsfilet nach der Niedergarmethode schon am Vortag braten und kalt stellen: Rindsfilet salzen, pfeffern und in einer Pfanne mit heißem Fett gut anbraten. Das Fleisch auf einen Rost legen – ein Blech darunter geben – und in die Mitte des Fleischstücks ein Thermometer stecken, um die Kerntemperatur zu messen. Das Fleisch im Rohr zunächst bei 120 °C bis 40 °C Kerntemperatur braten, herunterschalten und bei 100 °C bis 50 °C Kerntemperatur und zum Schluss (das Rohr für kurze Zeit öffnen) bei 70 °C bis 60 °C Kerntemperatur braten.

Die Artischockenböden ausstechen, den verwertbaren Rest und die Topinamburs kleinwürfelig schneiden. Für die Marinade Portwein und Madeira einkochen, mit Geflügelfond, Sherryessig, Balsamico, Trüffeljus und Traubenkernöl vermischen, mit Trüffelstreifen, Salz, Pfeffer und Zucker fertigstellen. Die Marinade leicht erwärmen, die Artischockenböden darin ziehen lassen. Topinambur- und die restlichen Artischockenwürfel mit derselben Marinade marinieren.

Das Rindsfilet in Scheiben schneiden. Zum Anrichten die Artischockenböden in die Tellermitte setzen, die Artischocken- und Topinamburwürfel mit einem Teil der Trüffelvinaigrette vermischen und die Böden füllen. Rundherum das Fleisch anrichten, die restliche Vinaigrette darüberziehen, mit Rucola und Pinienkernen garnieren.

JURTSCHITSCH, LANGENLOIS LOISERBERG Grüner Veltliner 2005/2006
Dieser Grüne Veltliner mit seinem zarten Strohgelb und dem Duft nach grünem Apfel und Exotik sowie seiner Würze am Gaumen sollte jung getrunken werden.

Geräucherter Kalbstafelspitz mit Erdäpfel-Liebstöckel-Marinade

40 Minuten/leicht

Zutaten für 4 Personen

1 Kalbstafelspitz (ca. 1 kg), vom Fleischhauer kurz kalt geräuchert
Salz, Pfeffer
Butter zum Braten
200 g kleine Eierschwammerln
etwas zarter Blattsalat
geröstete Kürbiskerne
Speckwürfel, klein geschnitten und geröstet
1 Erdapfel, gekocht

Für das Erdäpfel-Liebstöckel-Dressing
1 mittelgroßer mehliger Erdapfel (ca. 120 g)
300 ml Rind- oder Hühnersuppe
1 TL Honigsenf
1 TL körniger Senf
1 EL Sherryessig
2 EL Sonnenblumenöl
1 TL Staubzucker
gehackter Liebstöckel
Salz, Pfeffer

Kalbstafelspitz mit Salz und Pfeffer würzen und in Butter rundum anbraten, anschließend im Rohr bei 200 °C in ca. 15 Minuten (je nach Größe) rosa braten, danach auskühlen lassen.

Für das Dressing den gekochten Erdapfel heiß schälen, pressen und mit der Suppe cremig aufrühren. Mit allen Zutaten vermischen, dabei würzig abschmecken.

Die Eierschwammerl in wenig Butter anbraten. Den Kalbstafelspitz dünn aufschneiden und auf Tellern anrichten. Mit dem Dressing übergießen und mit den angebratenen Eierschwammerln sowie etwas Blattsalat anrichten.

Mit Kürbiskernen, Speckwürfeln und 5 mm dicken, marinierten Erdäpfelscheiben servieren.

NIGL, PRIEL PIRI Grüner Veltliner

Klassischer Urgesteins-Grüner-Veltliner mit Steinobstfrucht und frischer Säure. Jung trinken.

Frühlingskräutercannelloni mit Frischkäse

30 Minuten/leicht

Zutaten für 4 Personen

Für die Cannelloni
250 g Nudelteig (oder fertige Lasagneblätter)
Salz
6 EL Parmesan
6 EL Ricotta (oder Topfen)
6 EL Obers
Muskatnuss
150 g blanchierter Blattspinat
80 g Frühlingskräuter (Wiesenkerbel, Borretsch, Koriander, Petersilie)

Für den Muskatschaum
250 ml stark reduzierter Geflügelfond
250 ml Obers
100 g kalte Butter
Salz
Muskatnuss

Zum Anrichten
blanchierter Blattspinat
frische Frühlingskräuter
getrocknete Paradeiser

Den Nudelteig dünn ausrollen, in Rechtecke schneiden und in Salzwasser kochen (bzw. Lasagneblätter kochen). Auf ein Tuch zum Abtrocknen legen. Nudelblätter mit 2 EL geriebenem Parmesan bestreuen. (Sie haften dadurch beim Einrollen besser.) Für die Fülle Ricotta mit 2 EL Obers, Salz und geriebener Muskatnuss abschmecken. Mit dem blanchierten Spinat, 2 EL Parmesan sowie den gehackten Kräutern vermischen. Masse in einen Spritzsack mit glatter Tülle füllen, auf die Nudelblätter dressieren und einrollen. Die Teigrollen in eine Pfanne mit etwas gewürztem Obers (Salz und Muskatnuss) mit dem Teigende nach unten setzen, mit dem restlichen Obers übergießen und mit dem restlichen Parmesan bestreuen. Im Rohr bei 180 °C ca. 8 Minuten backen.

Für den Muskatschaum Geflügelfond mit Obers bei moderater Hitze aufkochen lassen. Vom Herd nehmen, Flüssigkeit mit eiskalter Butter montieren, mit Salz und reichlich Muskatnuss abschmecken.

Die Cannelloni samt dem Muskatschaum mit etwas Spinat, frischen Kräutern und getrockneten Paradeisern anrichten.

TIPP *Man kann die Cannelloni auch mit Kürbis oder mit einem Pilztatar füllen.*

HIRTZBERGER, SPITZ AN DER DONAU ROTES TOR Grüner Veltliner Federspiel
Ein klassischer Spitzer Grüner Veltliner, auf Verwitterungsboden gewachsen, feinwürzig in der Nase und am Gaumen mit dezentem Frucht-Säure-Spiel – ein herrlicher Essensbegleiter.

Quiche im Palatschinkenmantel

40 Minuten/leicht

Zutaten für 4 Personen

Für die Palatschinken
6 Eier
12 EL Universalmehl
Salz
ca. 200 ml Milch
Butter zum Backen und für die Formen

Für die Quiche
300 ml Obers
3 Eier
Salz, Pfeffer
Muskatnuss
frischer Schnittlauch
100 g Speck, klein gewürfelt und geröstet
100 g Junglauch, blanchiert und in Streifen geschnitten
100 g Käse, grob gerieben
4 Scheiben Speck und
4 gekochte Junglauchstangen zum Garnieren

Für die Palatschinken Eier mit Mehl gut verrühren, salzen und mit Milch zu einem dünnen Teig rühren, 10 Minuten rasten lassen. Den Teig nach und nach in eine kleine heiße Pfanne gießen, jeweils in wenig Butter beidseitig goldbraun backen. Die Palatschinken in gebutterte Souffléformen oder größere Kaffeetassen legen.

Für die Quiche Obers mit Eiern verrühren, mit Salz, Pfeffer, Muskatnuss und Schnittlauch würzen. Speckwürfel, Lauchstreifen und Käse vermischen, die Palatschinken damit füllen und mit der Obers-Eier-Mischung übergießen. Im Rohr bei 170 °C in ca. 25 Minuten backen. Danach herausnehmen und einige Minuten setzen lassen, dann stürzen und mit knusprigen Speckscheiben und gekochten Lauchstangen servieren.

MALAT, PALT BEI KREMS HÖHLGRABEN Grüner Veltliner

Dieser Veltliner vom Urgesteins-Verwitterungsboden präsentiert sich feinwürzig, rauchig, mit frischer Struktur und zartem Säurespiel. Er wirkt sehr trinkanimierend.

Geschmorte Kalbshaxenscheiben

1 Stunde 40 Minuten/leicht

Zutaten für 4 Personen

4 Kalbshaxenscheiben (Ossobuco)
Salz, Pfeffer
Olivenöl zum Braten
3 Schalotten
2 Knoblauchzehen
1 Karotte
1 gelbe Rübe
1/2 Knollensellerie
2 EL Tomatenmark
500 ml Rotwein
250 ml Suppe
2 Lorbeerblätter
Salbei, Rosmarin, Basilikum
abgeriebene Zitronenschale
4 Paradeiser, geschält, entkernt und in Streifen geschnitten

Für die Rahmpolenta
500 ml Milch
500 ml Suppe
Salz, Muskatnuss
1 Thymianzweig
100 g Polenta
Butter
geriebener Parmesan

Für die Gremolata
6 EL gehackte Petersilie,
etwas geriebene Zitronenschale
etwas Knoblauch

Die Kalbshaxenscheiben mit Salz und Pfeffer würzen, in Olivenöl beidseitig gut anbraten. Fleisch herausnehmen, geschnittene Schalotten und Knoblauch mit der Hälfte des würfelig geschnittenen Wurzelgemüses anrösten. Tomatenmark zugeben, kurz mitrösten, mit Rotwein und Suppe aufgießen. Fleisch einlegen, mit Lorbeerblättern, Kräutern, etwas Zitronenschale und der Hälfte der Paradeiser etwa 90 Minuten schmoren. Das weich geschmorte Fleisch herausnehmen, die Sauce durch ein Sieb passieren und abschmecken.

Für die Rahmpolenta Milch und Suppe aufkochen, mit Salz, Muskatnuss und Thymian würzen. Polenta einrühren und weich kochen. Je nach Geschmack mit Butter und Parmesan verfeinern.

Das restliche würfelig geschnittene Wurzelgemüse in Salzwasser bissfest kochen. Anschließend mit den restlichen Tomaten kurz in der fertigen Sauce schwenken. Alle Zutaten für die Gremolata miteinander vermengen. Rahmpolenta auf Teller ziehen, Kalbshaxen mit der Sauce und dem Gemüse darauf anrichten und etwas Gremolata daraufstreuen.

OTT, FEUERSBRUNN ROSENBERG Grüner Veltliner Reserve 2005

Der Premiumwein des Hauses am Wagram stammt von der besten Riede mit über 50 Jahre alten Rebstöcken in einem Lösskessel in Waldnähe. Dieser Wein wurde mit seinen eigenen Hefen vergoren, daraus resultiert eine einmalige Kombination aus Kraft und Eleganz.
Dieser Grüne Veltliner ist würzig, finessenreich mit zartem Honigton am Gaumen und weißem Pfeffer. Sollte mindestens zwei bis drei Jahre reifen.

Spanferkel mit Goderl

2 Stunden/aufwendig

Zutaten für 4 Personen

Für das Spanferkel
1 Spanferkel-Goderl
600 g Spanferkelrücken mit Knochen und Schwarte
Salz, Pfeffer
Kümmel
Fett zum Braten
Knoblauch
Kalbsfond (oder Suppe) zum Aufgießen
kalte Butter zum Binden

Für das Stöckelkraut
1 Krautkopf
Schmalz zum Braten
Salz, Pfeffer
Kümmel
Zucker
Schweinssaft vom Braten

Für die Gemüsegarnitur
1 Karotte
1 gelbe Rübe
¹/₄ Knollensellerie
Salz
Butter zum Schwenken

Goderl und Spanferkelrücken im 2 cm hohen Salzwasser mit der Schwarte nach unten 30 Minuten im Rohr bei 150 °C garen. Fleisch anschließend abtrocknen, Schwarte in Rautenform einschneiden, mit Salz, Pfeffer und Kümmel einreiben.
Nun das Goderl etwa 1 Stunde bei 180 °C Oberhitze in der Pfanne mit der Flüssigkeit garen. Den Spanferkelrücken in heißem Fett rundum anbraten und 15 Minuten im mäßig heißen Rohr rasten lassen. Danach das Fleisch aus der Pfanne nehmen und das Fett abgießen. Knoblauch in Scheiben schneiden, kurz im Bratensatz durchrösten. Mit Fond oder Suppe aufgießen, einkochen lassen und zum Schluss mit ein wenig kalter Butter binden.

Krautkopf vierteln oder sechsteln, die äußersten Blätter entfernen, Strunk dranlassen. Krautteile salzen und in Schweineschmalz langsam anbraten. Etwas Kümmel zugeben. Wenn das Kraut schon leicht braun ist, mit wenig Zucker karamellisieren, mit etwas Schweinssaft aufgießen und kurz dämpfen. Mit Salz und Pfeffer abschmecken.

Für die Gemüsegarnitur das Gemüse feinwürfelig schneiden und in Salzwasser bissfest kochen, danach abseihen. Vor dem Servieren die Spanferkelschwarte unter maximaler Oberhitze im Rohr knusprig braten und das Gemüse in Butter schwenken.
Spanferkel und Goderl in 2 cm dicke Scheiben schneiden und mit dem Kraut anrichten. Das glacierte Gemüse über das Kraut geben. Als weitere Beilage passen Erdäpfelknödel.

BRÜNDLMAYER, LANGENLOIS LAMM Grüner Veltliner 2004
Die Rebstöcke stehen auf kalkreichen Lehmunterböden. Zu der Nase hat er den Anklang von tropischen Früchten – am Gaumen würzig mit zartem Tabak und Duft nach Laubwald, unendlich langer Abgang. Sollte zwei bis drei Jahre reifen.

Herbstlicher Pilzsalat mit geröstetem Brot

25 Minuten/aufwendig

Zutaten für 4 Personen

Für das Balsamicodressing
330 ml Portwein
330 ml Madeira
5 cl Noilly Prat
250 ml junger Balsamico
125 ml alter Balsamico
1 EL Senf
1 EL Salz
Zucker
500 ml Pflanzenöl
500 ml Olivenöl

Für die Pilze
500 g Pilze (Steinpilze, Eierschwammerl, Shiitake, Herbsttrompeten)
Olivenöl zum Braten
Salbei, Basilikum, 1 Rosmarin- und 3 Thymianzweige
3 Knoblauchzehen

Zum Anrichten
8 dünne Bauernbrotscheiben (2 Tage alt)
1 Knoblauchzehe
4 zarte Kohlblätter
Salz
gemischter Blattsalat
Petersilwurzelscheiben, knusprig frittiert
geröstete Sonnenblumenkerne

Für das Dressing Port und Madeira auf die Hälfte der ursprünglichen Menge einkochen, Noilly Prat, jungen und alten Balsamico, Senf, Salz und etwas Zucker beigeben und gut verrühren. Öle nach und nach einfließen lassen und dabei gut verrühren. Die Marinade hält, in Schraubgläser abgefüllt und im Kühlschrank gelagert, problemlos 3 bis 4 Wochen.

Pilze putzen. Steinpilze in 5 mm dicke Scheiben schneiden. Jede Sorte einzeln in etwas Öl anbraten, dabei mit gehackten Kräutern und feinblättrig geschnittenem Knoblauch würzen. Ganz kleine Eierschwammerl nur kurz in Salzwasser blanchieren. Danach die Pilze sofort mit etwas Balsamicodressing marinieren.

Bauernbrotscheiben in wenig Öl mit 1 Knoblauchzehe (gut für den herzhaften Geschmack) knusprig braten. Die Kohlblätter blanchieren, in gesalzenem Eiswasser abschrecken, danach abtropfen lassen. Kohlblätter und etwas Blattsalat auf Teller legen, die marinierten Pilze darauf anrichten. Mit knusprig frittierten Petersilwurzelscheiben, gerösteten Sonnenblumenkernen und dem Brot servieren.

WEINGUT STADT KREMS WACHTBERG Grüner Veltliner 2005

Dieser Wein von der Terrassenlage Wachtberg wird immer spät geerntet. Er ist ein kräftiger, würziger, gehaltvoller Grüner Veltliner, im großen Holzfass ausgebaut, mit einem Hauch von Pfefferl und zartem Honigton. Lang im Abgang.

Forellenfilet mit Nussbutterpüree und Steinpilzen

30 Minuten/leicht

Zutaten für 4 Personen

Für das Püree
600 g mehlige Erdäpfel
Salz
200 ml Milch-Obers-Mischung
40 g Butter
Muskatnuss
150 g Butter

Für die Forellen
4 Forellenfilets (à 130 g)
Butterschmalz zum Braten
etwas Butter
Thymian, Rosmarin, Basilikum

Für die Pilze
200 g Steinpilze
Salz, Pfeffer
Suppe und Butter zum Glacieren

8 Stück gekochter Junglauch zum Garnieren

Erdäpfel schälen, in Würfel schneiden und in möglichst wenig Salzwasser weich kochen. Sobald die Erdäpfel weich sind, abseihen und zerdrücken. Noch heiß mit Milch, Obers und Butter verrühren und mit Muskatnuss sowie Salz abschmecken. Vor dem Servieren Butter in einem kleinen Topf braun werden lassen und diese Nussbutter unter das Püree rühren.

Aus den Forellenfilets eventuell verbliebene Gräten zupfen und die Filets in Butterschmalz ganz leicht braten, zum Schluss etwas Butter und gehackte Kräuter zugeben.

Steinpilze putzen, vierteln, mit Salz und Pfeffer würzen und ebenfalls kurz braten. Zum Schluss mit etwas Suppe und Butter glacieren. Gemeinsam mit den Forellenfilets auf dem Nussbutterpüree anrichten und mit gekochtem, in Butter geschwenktem Junglauch servieren.

F. X. PICHLER, OBERLOIBEN KELLERBERG Grüner Veltliner Smaragd 2005
Dieser Wein stammt von einer kargen und puristischen Urgesteins-Terrassenlage und ist geprägt vom Mikroklima dieses Seitentals mit früher Morgensonne und kühlen Nächten, das für die komplexe Textur und die fein nuancierte, meist exotische Aromatik verantwortlich ist. Klare Mineralik und langer Abgang kennzeichnen diesen Wein, der seine wahre Größe erst nach zwei, drei Jahren erreicht.

Seezunge mit Oktopus-Bohnenragout

2 Stunden/aufwendig

Zutaten für 4 Personen

Für den Oktopus
1 kleiner Oktopus (ca. 1–1½ kg)
2 Fenchelknollen
2 Paradeiser
3 Knoblauchzehen
500 ml Weißwein
etwas Noilly Prat
Salz

Für die Seezungen
4 Seezungen (à 300–400 g), küchenfertig zugeputzt
Salz
4 EL Mehl-Weißbrotbrösel-Mischung
Butterschmalz zum Braten
Rosmarin
Olivenöl

Für das Gemüse
100 g dünne grüne Bohnen
100 g breite grüne Bohnen
2 EL geschälte und getrocknete Paradeiserstreifen
Salz, Pfeffer
kalt gepresstes, aromatisches Olivenöl
frisches Basilikum

Für den Oktopus alle Zutaten mit 4 l Wasser aufkochen und den Oktopus in 1½ bis 2 Stunden weich kochen. Danach den Kopf entfernen und die Fangarme enthäuten (einfach abwischen) und die Saugnäpfe abschneiden. In 1 cm große Stücke schneiden, nur die Spitzen etwas länger lassen.

Seezungen salzen, die Gräten rund um den Flossensaum wegschneiden. Fische in der Mehl-Brösel-Mischung wenden. In Butterschmalz mit dem Rosmarin goldbraun braten, vor dem Servieren mit etwas Olivenöl übergießen.

Beide Bohnensorten in Salzwasser weich kochen, danach in Eiswasser abschrecken und abtropfen lassen. Blanchierte Bohnen in einer Pfanne mit den geschälten, in Streifen geschnittenen Paradeisern und dem Oktopus vermischen, mit Salz und Pfeffer würzen, mit Olivenöl und frischem Basilikum abschmecken.

OTT, FEUERSBRUNN DER OTT Grüner Veltliner

Dieser Wein stammt von der Spitzenlage Spiegel. Der Löss-Tertiärboden und die kühle Lage (350 m hoch) mit Waldnähe verleihen dem Wein Exotik und kühle Aromatik. Er trinkt sich frisch und mit einer pikanten Note, ein- bis zweijährig zu trinken.

Risotto mit Radicchio und Prosciutto

25 Minuten/leicht

Zutaten für 4 Personen

2 Schalotten
2 EL Olivenöl
200 g Rundkornreis
750 ml Geflügelfond
Spritzer Wein
Butter
geriebener Parmesan

2 Radicchio Treviso
2 EL alter Balsamico
etwas Zucker

12 Scheiben Prosciutto
gehobelter Parmesan
frisches Basilikum

Schalotten feinwürfelig schneiden und in Olivenöl andünsten, Reis einrühren und mit etwas heißem Geflügelfond aufgießen. Immer wieder mit einem Holzlöffel umrühren und Geflügelfond nachgießen. Wenn der Reis bissfest gegart ist, den Topf vom Herd nehmen. Mit einem Spritzer Wein, Butter und frisch geriebenem Parmesan abschmecken.

Den Radicchio ohne Strunk in dünne Streifen schneiden und etwa 15 Minuten in Wasser einlegen, damit er nicht ganz so bitter schmeckt. Danach abseihen und gut abtrocknen. Radicchiostreifen in Butter anschwitzen und mit Balsamico ablöschen. Radicchio eventuell mit ein wenig Zucker abschmecken und unter das fertige Risotto mischen.

Mit Prosciutto und gehobeltem Parmesan anrichten und mit frischem Basilikum garnieren.

WEINGUT STADT KREMS WEINZIERLBERG Grüner Veltliner 2005
Die Reben stehen auf Mischboden. Der Wein ist ein delikater, feiner Grüner Veltliner mit authentischem, feinwürzigem Charakter und eleganter Note. Ein- bis zweijährig trinken.

Minestrone mit Jakobsmuscheln

20 Minuten/aufwendig

Zutaten für 4–6 Personen

Für die Minestrone
150 g Karotten, kleinwürfelig geschnitten
150 g zarte grüne Bohnen, kleinwürfelig geschnitten
1 Scheibe Speck, kleinwürfelig geschnitten
100 g Lauch, in Ringe geschnitten
1 Knoblauchzehe
750 ml klare Gemüsesuppe oder milde Rindsuppe
100 g ausgelöste, gekochte grüne Saubohnen (ersatzweise schwarze Bohnen)
150 g Zucchini, kleinwürfelig geschnitten
150 g Tomatenfruchtfleisch, kleinwürfelig geschnitten
Salz, Pfeffer
frisches Basilikum
4 EL geriebener Parmesan

Für die Jakobsmuscheln
300 g ausgelöste, geputzte Jakobsmuscheln
6 Scheiben Speck
Öl zum Braten
Pfeffer

Karotten und die grünen Bohnen kurz in Salzwasser kochen, in Eiswasser abschrecken. Speck in wenig Öl anrösten, Lauch und die Knoblauchzehe dazugeben, ohne stark Farbe nehmen zu lassen anschwitzen. Mit der Suppe aufgießen, nach 3 Minuten die Karotten, die grünen Bohnen, die Saubohnen und Zucchini dazugeben. Nach etwa 5 Minuten den Knoblauch entfernen und die Tomatenwürfel dazugeben. Suppe nun nicht mehr kochen, sie bleibt dann schön klar. Mit Salz, Pfeffer, gehacktem Basilikum und geriebenem Parmesan abschmecken.

Die Jakobsmuscheln mit den Speckscheiben umwickeln, mit jener Seite, an der sich Enden befinden, zuerst in die Pfanne legen und auf allen Seiten braten. Ganz frische Jakobsmuscheln dürfen dann im Kern noch glasig sein.

Die im Speck verpackten Muscheln aufschneiden und auf der Minestrone anrichten. Zusätzlich kann man die Suppe noch mit gerösteten Weißbrotscheiben garnieren.

KNOLL, UNTERLOIBEN SCHÜTT Grüner Veltliner Smaragd 2005
Große Lage auf reinem Urgestein. Dieser Grüne Veltliner ist kein Schmeichler, sondern ein straffer, in der Jugend etwas harter Wein, der aber eine ausgeprägte Mineralität, Vollmundigkeit und Extraktreichtum zeigt. Dank der starken Temperaturunterschiede kommt es zu einer entsprechend starken Aromaausprägung.

Riesling

Vielen gilt der Riesling als „aromatischer König" unter den Weißweinen. Die Rebsorte wird in vielen Weinbaugebieten der Welt angebaut. Vor allem in relativ kühlen Klimazonen gelingen große Weine.
Das führt aber letztlich auch zu ziemlich unterschiedlichen Stilistiken. Entscheidend ist auch der Boden, auf dem der Riesling wächst. Speziell in der Wachau ergeben die Urgesteinsböden charaktervolle Weine mit deutlichen mineralischen Noten.

STIL UND GESCHMACK

In Frankreich, und dort vor allem im Elsass, geraten Rieslinge meistens sehr hochkarätig und wuchtig. Diese Weine erreichen erst nach einigen Jahren Lagerung ihre tatsächliche Größe. In Deutschland werden nach wie vor viele leichte Weine mit 10 bis 11% Alkohol mit merkbarer Restsüße ausgebaut.
Im hochkarätigen Bereich dominieren zum Glück die trocken ausgebauten Weine. Letzteres gilt auch für Österreich, wo sämtliche Qualitätsstufen trocken, mit facettenreicher Frucht und Säure ausgebaut werden. Nur selten gelingen einigen Winzern kleine Mengen an Prädikatswein, der dann umso beeindruckender ist. Die Aromenbandbreite reicht beim Riesling von der zart-blumigen und frischen Nase mit entsprechender Säure bis zu vollreifen Früchten (Marille und Pfirsich, aber auch tropisches Obst) mit entsprechend langem Abgang. Bei außergewöhnlich hochkarätigen Rieslingen ist Vorsicht geboten, dass die deutliche Frucht nicht die dazu servierte Speise überdeckt.

PASST ZU

Bis 12,5 Vol.-% Alkohol

Geräucherter Fisch
Pochierter Fisch
Gebratener Fisch
Beuschel mit Semmelknödel
Forelle Müllerin
Heringsschmaus

Ab 12,5 Vol.-% Alkohol

Fisch im Backteig
Fisch mit gehaltvolleren Saucen

Butterschnitzel vom Wels

30 Minuten (ohne Einweichzeit)/aufwendig

Zutaten für 4 Personen

Für den Wels
2 Semmeln (ohne Rinde)
250 ml Milch
1 Schalotte
Butter zum Braten
400 g Welsfilet
2 Eier
Salz
etwas frischer Thymian
einige Tropfen Zitronensaft
Cayennepfeffer
Weißbrotbrösel

Für die Linsen
150 g Berglinsen (oder kleine normale Linsen)
Salz
50 g rote Linsen
2 Paradeiser
$^1/_2$ TL kleine Speckwürfel
$^1/_2$ TL gehackte Schalotten
Öl
Butter
Balsamico
100 g Gemüsebrunoise (kleine Sellerie- und Karottenwürfel)
Thymian, Pfeffer

Für den Sud
1 Karotte
1 kleines Stück Sellerie
Thymian, Lorbeerblatt
Salz, Pfefferkörner

Semmeln in Milch einweichen, Schalotten in etwas Butter weich anschwitzen und beiseitestellen. Welsfilet enthäuten, sämtliche dunkle Fettstellen wegschneiden und mit den Semmeln und der Schalotte faschieren. Mit den Eiern vermischen, mit Salz, Thymian, Zitronensaft und Cayennepfeffer abschmecken. Falls die Masse zu weich erscheint, eventuell noch etwas Weißbrotbrösel zugeben. Aus der Masse kleine Laibchen formen und in Weißbrotbröseln wenden. Laibchen in Butter bei mittlerer Hitze beidseitig goldbraun braten, danach im Rohr bei 150 °C noch 5 Minuten nachziehen lassen.

Berglinsen über Nacht in Wasser einweichen. Am nächsten Tag die eingeweichten Berglinsen in leicht gesalzenem Wasser mit den für den Sud angegebenen Zutaten weich kochen, danach abschrecken. Die roten Linsen nur kurz in kochendes Wasser geben und unter Zugabe eines Paradeisersuds (einfach Paradeiser in etwas Wasser auskochen, die Farbe der roten Linsen bleibt durch die Säure der Paradeiser schöner) garen. Speckwürfel knusprig rösten und beiseitestellen. Schalotten in heißem Öl anschwitzen. Beide Linsensorten zugeben und mit etwas Kochsud aufgießen. Etwas Butter und die Gemüsebrunoise daruntermischen. Mit Thymian, Salz und Pfeffer abschmecken, zum Schluss den gerösteten Speck dazugeben.

JAMEK, JOCHING RIED KLAUS Riesling Federspiel 2005

Dieser Riesling hat ein klares Terroirbukett, ist intensiv fruchtig und duftig, mit Zitrusnoten. Er schmeckt nach kandierten Orangen und exotischen Früchten, hat ein schönes Säurespiel und eine noble Mineralik.

Saiblingstatar mit Blinis und Saiblingskaviar

20 Minuten (ohne Stehzeit)/leicht

Zutaten für 4 Personen

Für die Blinis
150 ml Milch
4 Eier
21 g Trockengerm
400 g gekochte Erdäpfel
250 g Mehl
Fett zum Backen

Für das Saiblingstatar
2 Saiblingsfilets
1 TL milder Senf
Dille
Saft von ½ Zitrone
etwas Olivenöl
Salz, Pfeffer

Zum Anrichten
4 TL Sauerrahm
4 TL Saiblingskaviar
100 g Blattsalat (mit Zitronensaft und Olivenöl mariniert)

Für die Blinis Milch, Eier und Germ verrühren. Die Erdäpfel pressen und dazugeben, Mehl unterrühren und 1 Stunde rasten lassen. Danach aus der Masse kleine Kuchen formen und in einer heißen Pfanne in etwas Fett backen.

Für das Tatar die Fischfilets enthäuten, entgräten und fein hacken. Fisch mit Senf, gehackter Dille, Zitronensaft, Olivenöl, Salz und Pfeffer gut abschmecken.

Aus dem Saiblingstatar kleine Laibchen formen und auf den frisch gebackenen Blinis mit etwas Sauerrahm, dem Saiblingskaviar und dem Salat servieren.

KNOLL, UNTERLOIBEN LOIBENBERG Riesling Federspiel 2005
Dieser Riesling stammt vom Urgesteinsboden der höheren Lagen des Loibenbergs. Er hat eine zarte Mineralität, Feinheit und Eleganz mit zarten Pfirsichanklängen.

Eingelegter Saibling auf Apfel-Lauch-Salat

30 Minuten (ohne Stehzeit)/leicht

Zutaten für 4 Personen

4 Saiblingsfilets (ohne Gräten)
Salz, Pfeffer

Für die Marinade
125 ml Weißweinessig
250 ml Olivenöl
2 Lorbeerblätter
2 Gewürznelken
3 Schalotten, fein geschnitten
3 Karotten, fein geschnitten
10 g Koriander, grob gestoßen

Für den Apfel-Lauch-Salat
100 g Apfelwürfel, blanchiert
100 g Lauchwürfel, blanchiert
1 EL Sauerrahm
Spritzer Zitronensaft
Spritzer weißer Balsamico

Alle Zutaten für die Marinade vermischen und 20 Minuten köcheln lassen, danach abseihen.

Saiblingsfilets mit Salz und Pfeffer würzen. Die Marinade noch heiß über die Filets gießen. 2 bis 3 Stunden bei Zimmertemperatur ziehen lassen.

Für den Salat Apfel- und Lauchwürfel mit Sauerrahm verrühren, mit Zitronensaft und Balsamico abschmecken. Gemeinsam mit dem Saibling anrichten.

JURTSCHITSCH, LANGENLOIS ZÖBINGER HEILIGENSTEIN Riesling 2005
Der Heiligenstein ist eine Top-Rieslinglage mit kargem Boden aus Wüstensandstein und vulkanischen Ablagerungen. Die auf Terrassen gepflanzten Reben liefern einen Wein von besonders feinwürziger Ausprägung mit sortentypischen Fruchtaromen (Steinobstnoten), der mineralisch dicht und finessereich ist.

Seezunge mit lauwarmem Paradeissalat

25 Minuten/leicht

Zutaten für 4 Personen

Für die Seezungen
4 Seezungen (à 300 g), küchenfertig zugeputzt
Salz
Mehl
Weißbrotbrösel
Butterschmalz zum Braten
1–2 Rosmarinzweige
kalt gepresstes, aromatisches Olivenöl

Für den Paradeissalat
8–12 Paradeiser
Sherryessig
Balsamico
Olivenöl
Salz, Pfeffer

Von den Seezungen die Haut abziehen und die Gräten rund um den Flossensaum wegschneiden.
Die Fische salzen, in einer Mehl-Brösel-Mischung wenden und in Butterschmalz mit dem Rosmarin goldbraun braten, danach herausnehmen und mit Olivenöl übergießen.

Für den Salat die Paradeiser kreuzweise einschneiden, in kochendem Wasser kurz blanchieren und danach in Eiswasser abschrecken. Anschließend schälen und vierteln, mit Sherryessig, Balsamico, Öl, Salz und Pfeffer marinieren. 10 Minuten an einer warmen Stelle ziehen lassen.
Seezunge mit dem Paradeissalat servieren.
Als weitere Beilage passen Erdäpfel.

EHN, LANGENLOIS ZÖBINGER HEILIGENSTEIN Riesling 2005
Dieser Wein stammt von einem reinen Sandsteinboden mit Ablagerungen.
Es ist ein eleganter Riesling, sehr fruchtbetont (Steinobst) mit prägnantem Frucht-Säure-Spiel und anhaltendem Abgang. Am besten ein bis zwei Jahre reifen lassen.

Wurzelschaumsuppe mit geräuchertem Wels

30 Minuten/leicht

Zutaten für 4 Personen

$^1/_2$ Knollensellerie
1 Pastinake
1 Petersilwurzel
1 Schalotte
40 g Butter
1 l Geflügelsuppe
125 ml Obers
Salz, Pfeffer
Petersilie
Spritzer weißer Balsamico

1 kleine Karotte
1 gelbe Rübe
200 g geräucherter Wels (auch geräucherter Aal oder Karpfen sind möglich)

Sellerie, Pastinake und Petersilwurzel schälen und würfelig schneiden. Schalotte ebenfalls würfelig schneiden und mit dem Wurzelgemüse in Butter anschwitzen, mit Geflügelsuppe aufgießen und weich kochen.
Mit dem Stabmixer pürieren, mit Obers (eventuell auch etwas Butter) verfeinern, salzen und pfeffern. Suppe vor dem Servieren schaumig aufmixen, mit etwas gehackter Petersilie und weißem Balsamico abschmecken.

Karotte und gelbe Rübe in Streifen schneiden, in Salzwasser kernig kochen und beiseitestellen. Den Räucherfisch in gleich große Stücke schneiden und im Rohr bei 120 °C 3–5 Minuten anwärmen. Fisch in Teller legen und mit der Suppe umgießen, mit den gekochten Gemüsestreifen garnieren.

BRÜNDLMAYER, LANGENLOIS ZÖBINGER HEILIGENSTEIN Riesling 2005
Klassischer Riesling vom uralten Zöbinger Wüstensandstein mit vulkanischen Bestandteilen. Der Wein zeichnet sich durch eine Primärfrucht mit Weingartenpfirsichnoten sowie eine feine, frische Säurestruktur und edel-elegante Art aus.

Steinbutt im Olivenölsud mit mediterranem Gemüse

30 Minuten/aufwendig

Zutaten für 4 Personen

4 Steinbuttfilets (à 130 g)
Olivenöl

Für das Gewürzöl
40 g Lauch
40 g Schnittlauch
1 kleine Chilischote
200 ml Olivenöl
abgeriebene Zitronenschale
Salz, Pfeffer

Für den Olivenölsud
200 ml Fischfond (oder leichte Rindsuppe)
1 kleiner gekochter Erdapfel
1 Thymianzweig
150–200 ml kalt gepresstes Olivenöl
Zitronensaft
Salz, Pfeffer

Für das Gemüse
2 Artischockenböden
1 Zucchini
1 Melanzani
Olivenöl zum Braten
einige EL gekochte Saubohnen
2 Paradeiser (siehe Tipp)

Für die Backerbsen
2 Eier
240 g Mehl
10 g Germ
10 g Salz
300 ml Bier
Fett zum Backen

Für das Gewürzöl Lauch, Schnittlauch und Chilischote fein hacken und mit den restlichen Zutaten vermischen. (Das Öl lässt sich 3 Tage im Kühlschrank aufbewahren.)

Steinbuttfilets in Olivenöl auf jeder Seite ca. 2 Minuten leicht braten, danach warm rasten lassen.

In der Zwischenzeit für den Sud den Fischfond mit dem noch warm gepressten Erdapfel und dem Thymianzweig erwärmen. Thymian entfernen, mit Olivenöl aufmixen und mit Zitronensaft, Salz und Pfeffer abschmecken.

Artischocken, Zucchini, Melanzani in gleich große Stücke schneiden und in Olivenöl braten. Gemüse mit den gekochten Saubohnen und den geschmorten Paradeisern (siehe Tipp) vermischen.

Für die Backerbsen Eier trennen. Dotter mit Mehl, Germ, Salz und Bier verrühren. Eiklar steif schlagen und unterheben. Den Teig mit einem Schneebesen in heißes Fett tropfen, die so entstehenden Backerbsen goldgelb backen und danach auf Küchenpapier abtropfen lassen.
Sud in tiefe Teller geben, Fisch in der Pfanne kurz mit dem Gewürzöl übergießen und mit dem Gemüse und den Backerbsen anrichten.

TIPP *Für geschmorte Paradeiser: das Fruchtfleisch von 2 Paradeisern mit etwas Olivenöl, Salz, Hauch Zucker, 1 Knoblauchzehe und etwas Basilikum im leicht geöffneten Rohr bei 70 °C 4 Stunden antrocknen.*

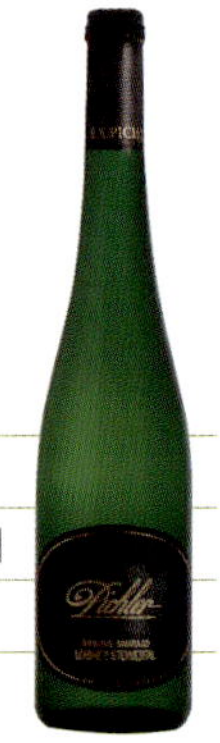

F. X. PICHLER, OBERLOIBEN STEINERTAL Riesling Smaragd 2005
Dieser Wein steht auf tief abgelagertem Urgestein. Er besticht durch Rasse und Finesse, ist saftig und hat die Mineralik dieses Urgesteins. In der Nase und am Gaumen typische Weingartenpfirsichtöne.

Zander mit Erdäpfel-Krautfleckerln

25 Minuten/leicht

Zutaten für 4 Personen

Für den Zander
4 Zanderfilets (à 130 g)
Salz, Pfeffer
Butterschmalz zum Anbraten

Für die Erdäpfel-Krautfleckerln
200 g Erdäpfel, in 5 mm dicke Rauten geschnitten
200 g junge Krautblätter, in Rauten geschnitten
Fett zum Braten
Salz, Pfeffer
1 TL Zucker

Den Zander würzen und auf der Hautseite bei mäßiger Hitze in Butterschmalz braten, dabei den Fisch immer wieder mit etwas Fett übergießen.

Die rohen Erdäpfelrauten mit lauwarmem Wasser gut durchspülen, damit ein Teil der in ihnen enthaltenen Stärke entfernt wird und die Erdäpfel nicht zusammenkleben.
Die Erdäpfelrauten in einer Pfanne mit ausreichend viel Fett knusprig braten. In einer anderen Pfanne das gesalzene Kraut mit wenig Fett braten, zum Schluss 1 TL Zucker zugeben und zu brauner Farbe mitrösten (karamellisieren), mit schwarzem Pfeffer würzen. Kurz vor dem Anrichten das Kraut mit den Erdäpfeln vermischen und mit dem Zander servieren.

TIPP *Dazu passt ein schnell gemachtes Schäumchen: etwas Suppe mit einem gekochten, gepressten Erdapfel aufmixen und mit etwas Butter und Riesling verfeinern.*

WEINGUT STADT KREMS GRILLENPARZ Riesling 2005

Grillenparz ist eine Terrassenlage, die 1180 das erste Mal erwähnt wurde und einen ganz typischen Riesling hervorbringt. Er hat einen zarten Marillen-Pfirsich-Ton mit mineralischem, exotischem Geschmack und herrlichem Frucht-Säure-Spiel. Diesen Wein kann man auch schon jung trinken.

Zander mit Senfgurken

30 Minuten/leicht

Zutaten für 4 Personen

Für den Zander
4 Zanderfilets (à 150 g)
einige Tropfen Zitronensaft
Salz, Pfeffer
Butterschmalz zum Braten

Für die Senfgurken
4 EL Salatgurkenwürfel
Butter zum Braten
2 EL milde Suppe
4 EL gekochte Erdäpfelwürfel (festkochende Sorte)
50 ml Obers
50 g Sauerrahm
1–2 TL Dijonsenf
2 Dillzweige
Salz
Cayennepfeffer
Zitronensaft

Für die Erdäpfelchips
2 große mehlige Erdäpfel
Öl zum Frittieren
Salz

Zanderfilets mit Zitrone, Salz und Pfeffer würzen und mit der Hautseite nach unten in das nicht zu heiße Fett legen und unter mehrmaligem Übergießen langsam braten.

Die Gurkenwürfel in Butter kurz anschwitzen. Mit milder Suppe aufgießen, die Erdäpfelwürfel dazugeben und mit Obers etwa 2 Minuten köcheln lassen. Mit Sauerrahm, Senf, gehackter Dille, Salz, Cayennepfeffer und Zitronensaft abschmecken.

Für die Erdäpfelchips Erdäpfel schälen und in dünne Scheiben schneiden. Erdäpfelscheiben für 10 Minuten in Wasser legen, danach gut abtrocknen. In einer tiefen Pfanne reichlich Öl erhitzen, Erdäpfelscheiben zu knusprigen Chips frittieren. Danach herausnehmen und abtropfen lassen. Erst jetzt salzen. Senfgurken auf Tellern verteilen und die gebratenen Zanderfilets daraufsetzen.
Mit Erdäpfelchips garnieren.

SALOMON UNDHOF, KREMS UNDHOF KÖGL Riesling Reserve 2005
Die Reben stehen auf Urgesteins-Verwitterungsboden mit Schiefer (Südlage). Für diesen Wein werden nur die besten Trauben der Riede Kögl geerntet. Der Wein vereint die Substanz mit großem Tiefgang, Leichtfüßigkeit, Eleganz und einem zarten Ton von weißem Pfirsich. Zwei- bis dreijährig trinken.

Alpenlachs auf Stampferdäpfeln

70 Minuten/aufwendig

Zutaten für 4 Personen

Für die Stampferdäpfel
4 mittelgroße mehlige Erdäpfel
20 g kalte Butter
1 EL Schnittlauch
1 EL Petersilie
1 EL Kerbel
Salz

Für den Alpenlachs
4 Alpenlachsfilets (à 120 g)
Butter
Schnittlauch zum Garnieren

Für die Sauce
2 EL Sauerrahm
250 ml Obers
Salz, Pfeffer
Spritzer Sherryessig (oder Zitronensaft)
Spritzer Worcestersauce

Erdäpfel in Alufolie packen und 1 Stunde im Rohr bei 180 °C backen. Die Erdäpfel noch heiß schälen, mit der kalten Butter und den Kräutern zerstampfen, mit Salz abschmecken.

Eine hitzefeste Form mit Butter ausstreichen, die Fischfilets nebeneinanderlegen, mit etwas Butter bepinseln, mit Klarsichtfolie abdecken und im Rohr bei 80 °C 8–10 Minuten garen (abhängig von der Stärke der Filets). Danach herausnehmen, kurz nachziehen lassen.

Für die Sauce Sauerrahm mit Obers verrühren, mit Salz, Pfeffer, Sherryessig und Worcestersauce abschmecken.

Alpenlachs auf den Stampferdäpfeln anrichten und mit der Sauce umgießen. Mit Schnittlauch garnieren. Dazu passt Salat.

SCHLOSS GOBELSBURG ALTE REBEN Riesling 2005
Die Reben wurden 1947 gepflanzt. Der Wein stammt von der Riede Gaisberg, einem Urgesteinsboden mit Gneis. Der Wein präsentiert sich mit einer Nase und vor allem einem Gaumen nach Cox Orange und Ringlotten. Er ist saftig einschmeichelnd mit delikatem Schmelz. Zwei- bis dreijährig trinken.

Heilbutt mit Kürbiskernen gratiniert

30 Minuten/leicht

Zutaten für 4 Personen

Für den Heilbutt
600 g Heilbutt
1 EL Butterschmalz
125 g Kürbiskerne, geröstet und gehackt
250 g flüssige Butter
125 g Weißbrotbrösel
1 TL Olivenöl
Salz, Pfeffer

Für den Kürbis
200 g Muskatkürbis
Butter
Suppe zum Aufgießen
Salz
1 Schuss „Golden Balsamessig" (von Gegenbauer)
1 EL leicht süßlicher Senf
gehackte Kürbiskerne

Heilbutt in Butterschmalz anbraten und im Rohr bei 200 °C 10–12 Minuten braten, dabei öfters wenden. Für die Kruste Kürbiskerne, flüssige Butter, Weißbrotbrösel, Olivenöl, Salz und Pfeffer vermischen und auf den beinahe fertig gebratenen Fisch streichen. Das Heilbuttstück im Rohr bei maximaler Oberhitze oder unter dem Grill kurz zu nicht zu dunkler Farbe gratinieren.

Für das Kürbisgemüse den Kürbis feinblättrig schneiden und in der Pfanne in 2–3 EL Butter andünsten, mit etwas Suppe aufgießen. Kürbis mit Salz, Balsamessig, Senf, gehackten Kürbiskernen und kalter Butter abschmecken.

Den portionierten Heilbutt mit dem Kürbisgemüse auf Tellern anrichten. Als weitere Beilage wären Pilzravioli oder Gnocchi denkbar.

NIGL PRIVAT Riesling 2005

Dieser Wein stammt aus einem 40 bis 45 Jahre alten Weingarten. Es ist ein mineralischer Riesling mit Weingartenpfirsichnoten, am Gaumen präsentiert er sich füllig und kräftig, mit harmonischer Säure und langem Abgang. Zwei- bis dreijährig trinken.

Chardonnay

Angeblich von Kreuzrittern nach Frankreich gebracht, von den Benediktinern in Burgund verbreitet. Heute ist Chardonnay fast auf der ganzen Welt anzutreffen. Berühmt wurde die Sorte mit den großen Weinen aus dem Burgund. Dort wird er – wie auch sehr oft in Österreich – im Barrique ausgebaut. Das gilt vor allem für Chardonnays aus der Steiermark und dem Burgenland, während die Sorte in der Wachau mehrheitlich klassisch ohne Barrique vinifiziert wird.

STIL UND GESCHMACK

Im Duft an Weißbrot und Dörrfrüchte erinnernd, ergibt er sehr kräftige, extraktreiche Weine, die auch bei hoher Reife noch eine angenehme Säure besitzen; er gewinnt mit zunehmender Flaschenreife noch an Niveau. Klassisch ausgebaut kann man Chardonnay auch schon jung trinken. Barriqueweine sollten zumindest drei bis vier Jahre alt sein.

PASST ZU

Spargel mit Sauce hollandaise
Meeresfrüchten
Schalen- und Krustentieren
Fischgerichten
Heringsschmaus

Thunfischröllchen mit asiatischem Gemüsesalat

15 Minuten/leicht

Zutaten für 4 Personen

Für die Sojavinaigrette
60 g Reisessig
20 g Honig
15 g helle Sojasauce
30 g heißer Geflügelfond (oder milde Rindsuppe)
15 g Chicken-Chilisauce
100 g Sonnenblumenöl
1 TL Sesamöl

Für die Thunfischröllchen
Öl zum Braten
100 g Karotten, in feine Streifen geschnitten oder gehobelt
100 g Erbsenschoten, in feine Streifen geschnitten
100 g Sojasprossen
2 EL Koriandergrün, frisch gehackt
350 g Thunfisch (Sashimi-Qualität)

Zum Anrichten
Portulak
Mizuna
Shisokresse

Für die Sojavinaigrette alle Zutaten verrühren.

In einer Pfanne in wenig Öl das Gemüse scharf anbraten, danach abkühlen lassen. Angebratenes Gemüse mit der Sojamarinade und dem gehackten Koriander abschmecken. Thunfisch in dünne Scheiben schneiden, mit dem marinierten Gemüse belegen und einrollen

Röllchen in der Tellermitte anrichten und mit etwas mariniertem Gemüse sowie mariniertem Portulak, Mizuna und Shisokresse anrichten.

HIRTZBERGER, SPITZ AN DER DONAU SCHLOSSGARTEN Chardonnay Classic 2005
Der Chardonnay wird in der Wachau fast nur mehr klassisch, also nicht im Barrique ausgebaut. Er hieß auch einige Jahre Feinburgunder (sollte auf Classic hinweisen), was allerdings von der EU nicht mehr akzeptiert wurde. Dieser Wein wird im großen Holzfass ausgebaut, hat feine, hellfruchtige Mandelaromen und typischen Chardonnaygeschmack mit langem Abgang. Jung, aber besser ein- bis zweijährig zu trinken.

Langostinos mit Chicorée

15 Minuten/leicht

Zutaten für 4 Personen

8 Langostinos (alias Scampi oder Kaisergranaten)
10 reife Marillen
Salz, Pfeffer
4 Chicorée
100 g frische grüne Mandeln (oder geschälte und blanchierte Mandeln)

Für die Vinaigrette
4 EL Trockenbeerenauslese-Essig
4 EL Marillenmark
Salz, Pfeffer
Mandelöl

Langostinos schälen und den Darm entfernen, wenig salzen und in Olivenöl anbraten, aus der Pfanne nehmen und mit ein paar Tropfen Mandelöl beträufeln.

Alle Zutaten für die Vinaigrette verrühren.
Die Marillen in dünne Spalten schneiden und mit dem in Streifen geschnittenen Chicorée und den Mandeln mischen, mit der Vinaigrette marinieren.

Die Langostinos auf dem marinierten Chicorée-Marillen-Salat anrichten.

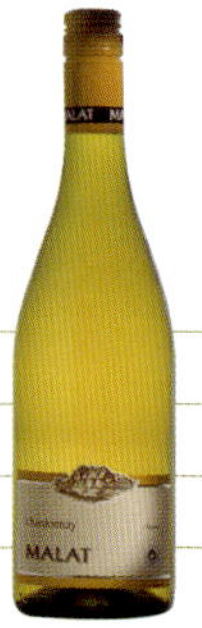

MALAT, FURTH BEI GÖTTWEIG CHARDONNAY Classic 2005
Klassischer Chardonnay mit Zitrustönen und Apfelnote. Breites Spektrum, vielseitig einsetzbar. Ein Allrounder wie aus dem Bilderbuch.

Riesengarnelen mit Avocadotatar

15 Minuten/leicht

Zutaten für 4 Personen

Für das Avocadotatar
3 reife Avocados
1 säuerlicher Apfel (z. B. Rubinette)
Zitronensaft
etwas Chili
Salz
Chilisauce

Für die Riesengarnelen
8 Riesengarnelen ohne Schale
Olivenöl

Zum Anrichten
etwas Blattsalat
frische Kräuter
Mandeln

Avocados halbieren und entsteinen. Das Fruchtfleisch von zwei Avocados mit der Gabel zerdrücken, das von der dritten würfelig schneiden. Apfel schälen und kleinwürfelig schneiden. Avocados und Apfel mit Zitronensaft, fein gehackter Chilischote, Salz und Chilisauce abschmecken.

Riesengarnelen in wenig Olivenöl scharf anbraten.

Avocado-Apfel-Mischung in Form von Sockeln auf Tellern mit den Garnelen anrichten. Mit Salat, Kräutern und Mandeln fantasievoll garnieren.

BRÜNDLMAYER, LANGENLOIS CHARDONNAY Barrique 2002
Dieser Wein wurde in 300-Liter-Eichenfässern (Manhartsberger Eiche) ausgebaut, also auch vergoren, und präsentiert eine internationale Note mit österreichischer Prägung. Er zeichnet sich durch eine reife Chardonnaynote, Würze und die Frische der Säure aus. Am Gaumen zart buttrig und limettenfrisch. Schön eingebundenes Holz nach zwei bis drei Jahren Lagerung.

Weißburgunder

Das französische Burgund gilt als Heimat dieser seit dem 14. Jahrhundert urkundlich nachweisbaren Rebsorte. In Österreich ist der Weißburgunder – man trifft ihn häufig auch unter dem Synonym Pinot Blanc an – auf etwa 4 Prozent der Gesamtrebfläche präsent.

STIL UND GESCHMACK

Wenn seine Trauben die Vollreife erlangen, wächst der Weißburgunder in Österreich zu einem substanzreichen Weißwein mit feinem mandelartigen Geschmack und pikanter Säure heran. Auch ein entfernt an frisches Brot erinnerndes Aroma wird bei Verkostungen öfter festgestellt. Die Sorte wird auch gerne im Barrique ausgebaut. Generell ist Weißburgunder einer der vielfältigsten Speisenbegleiter im Weißweinbereich.

PASST ZU

Eiernockerln
überbackenen Schinkenfleckerln
faschierten Laibchen
Blunzengröstl
Kalbsnierenbraten
Kalbsvögerl mit Champignons
Naturschnitzel mit Risipisi
gebackenem Karpfen mit Erdäpfelsalat
Heringsschmaus
Rote-Rüben-Salat

Spaghettini mit Spargel und Rauchlachs

20 Minuten/leicht

Zutaten für 4 Personen

200 g Spaghettini
12 Stangen grüner Spargel
Butter
Salz, Pfeffer
Zucker
frischer Kerbel
ev. 6 getrocknete Paradeiser
8 EL Parmesan, frisch gerieben
200 g Rauchlachs
Lachskaviar zum Garnieren

Die Nudeln in Salzwasser nach Packungsanweisung al dente kochen. Den Spargel schälen, in dünne Scheiben schneiden. Spargel in Butter bei geringer Hitze braten. Eventuell ein wenig Wasser zugießen, mit Salz, je nach Geschmack auch mit Zucker sowie etwas frischem Kerbel abschmecken. Parmesan, je nach persönlichem Geschmack auch getrocknete Paradeiser unter die Nudeln mischen, mit Salz und Pfeffer abschmecken.

Die Nudeln in eine große Kaffeetasse drehen, auf Teller stürzen und auf dem Spargel mit dem leicht angewärmten Rauchlachs (in Würfel geschnitten) servieren, mit etwas Lachskaviar garnieren.

TIPP *Getrocknete Paradeiser selbst herstellen: kreuzweise einschneiden, in kochendem Wasser kurz blanchieren, in Eiswasser abschrecken. Schälen, vierteln, entkernen und auf einem Blech mit Olivenöl, Salz, etwas Zucker, wenig grobblättrig geschnittenem Knoblauch und Basilikumstielen im leicht geöffneten Rohr bei 70 °C je nach Wunsch 4 bis 6 Stunden trocknen.*

JAMEK, JOCHING HOCHRAIN Weißburgunder Federspiel 2005
Ein trockener, besonders finessereicher Weißburgunder mit feinem Erdbeerton und elegantem Extrakt, harmonisches Säurespiel, jung zu trinken.

Neuburger

Diese Rebsorte stammt mit hoher Wahrscheinlichkeit aus der Wachau. Es dürfte sich dabei um eine natürliche Kreuzung von Rotem Veltliner und Sylvaner handeln. Der Überlieferung nach soll im Jahre 1850 in der Wachau eine unbekannte Rebe angeschwemmt worden sein, die von den Weinbauern dann angepflanzt und Neuburger getauft wurde. Interessante Neuburger gibt es etwa in der oberen Wachau, im Burgenland oder in der Thermenregion zu entdecken. Neuburger gedeiht sehr gut auf schweren und kalkreichen Böden, bevorzugt jedoch auf Urgesteinsböden. Spitzenweine kommen aus dem Spitzer Graben in der Wachau.

STIL UND GESCHMACK
Der Neuburger erbringt vornehm-zurückhaltende, manchmal im Duft etwas neutrale Weißweine von kraftvoller, aber milder Art; charakteristisch ist sein feiner nussartiger Geschmack. In sehr guten Jahren wird dieser ziemlich deutlich, dazu gesellt sich eine feine Würze, manchmal auch mit Muskattönen versehen. Generell sind gute Neuburger eher im mittelstarken Alkoholbereich zu finden.

PASST ZU
faschiertem Braten
Krautfleisch
Wiener Suppentopf
Wiener Schnitzel
geschmorter Kalbsstelze
gefülltem Schweinskotelett
geschmortem Schweinsschopf
gebackenem Hirn
Käse

Blauschimmelkäse mit geröstetem Brot und Apfel-Stangensellerie

20 Minuten (ohne Stehzeiten)/leicht

Zutaten für 4 Personen

Für den Apfel-Stangensellerie
4 EL Apfelbalsamessig
1 EL Feigensenf
2 EL Apfelsaft
6 EL Traubenkernöl
200 g geschälter Stangensellerie
2 Äpfel

Für die Käsecreme
125 ml Apfelsaft
160 g Blauschimmelkäse (z. B Gorgonzola)
2 EL Crème fraîche

½ Baguette
Olivenöl

Essig, Senf, Apfelsaft und Traubenkernöl für die Marinade mit einem Schneebesen gut verrühren. Stangensellerie in kleine Würfel schneiden, kurz blanchieren. Äpfel schälen und kleinwürfelig schneiden. Stangensellerie und Äpfel in der Marinade 5 Minuten ziehen lassen.

Für die Käsecreme den Apfelsaft auf 2 EL einkochen, mit dem Käse und der Crème fraîche gut verrühren, etwa 30 Minuten in den Kühlschrank stellen.

Baguette (ein einen Tag altes lässt sich dünner schneiden) mit der Schneidemaschine dünn aufschneiden.
Die Brotscheiben in etwas Olivenöl auf beiden Seiten knusprig rösten. Die knusprigen Brotscheiben mit der Käsecreme bestreichen und schichtweise anordnen, mit dem Apfel-Stangensellerie dekorativ anrichten.

HIRTZBERGER, SPITZ AN DER DONAU NEUBURGER Smaragd 2005
Dieser Wein wird fast ausschließlich im Spitzer Graben geerntet. Einige Spitzer Winzer, allen voran Franz Hirtzberger, haben diese Rebsorte rekultiviert. Im hohen Reifezustand ist er ein Traum zu Schimmelkäse. Der Neuburger sollte nach Möglichkeit vollreif geerntet werden, dann hat er eine feine Extraktsüße mit herrlichen nussigen Aromen.

Gelber Muskateller

Die bekanntesten österreichischen Muskateller-Standorte liegen in der südlichen Steiermark; aber auch in der Wachau, dem Kamp- und Kremstal sowie rund um den Neusiedler See setzt man zunehmend auf diese individuelle Rebe, deren Weine eher jung genossen werden sollten. In seiner Verbreitung kommt Gelber Muskateller hinsichtlich der Anbaufläche nicht über den Raritätenstatus hinaus.

STIL UND GESCHMACK

Der aromatische Gelbe Muskateller empfiehlt sich vor allem im mittleren Alkoholbereich (12–12,5%), hervorragend auch als Aperitif. Die Sorte ist von intensiver Traubigkeit geprägt. Neben dem typischen Muskattraubenbukett sind oft auch deutliche Zimt- und Zitrusschalennoten schmeckbar. Am Gaumen sind Muskateller im Allgemeinen schlank bis kompakt gehalten, charakteristisch ist oft eine nervige Säurestruktur.

PASST ZU

Quiche Lorraine
Geflügel
Meeresfrüchten mit Salat
Muscheln
grünem Aal
Salat mit Hering
Heringsschmaus
Apfeltarte
Mohnknödel mit brauner Butter

Salat von zart geräuchertem Perlhuhn mit Feigen und Maronivinaigrette

30 Minuten/aufwendig

Zutaten für 4 Personen

2 Perlhuhnbrüste
etwas Räuchermehl
Salz, Pfeffer
verschiedene Blattsalate (Löwenzahn, Eichblatt, Frisée, Rucola)
etwas Salatmarinade

Für das Feigenconfit
2 EL Kristallzucker
125 ml roter Portwein
250 ml Rotwein
6 Feigen
etwas Rotweinessig
Salz,Pfeffer

Für die Maronivinaigrette
4 EL Balsamico (12 Jahre oder älter)
3 EL Honig
6 EL Sonnenblumenöl
60 g Maroni, gekocht und gehackt
20 g Haselnüsse, gehackt
Salz, Pfeffer

Die Perlhuhnbrüste räuchern: Räuchermehl in einem Topf erhitzen, Perlhuhn auf einem passenden Gittereinsatz in den Topf legen, mit einem Deckel oder mit Alufolie luftdicht verschließen und ca. 4 Minuten räuchern. Perlhuhn herausnehmen, mit Salz und Pfeffer würzen. Im auf 180 °C vorgeheizten Rohr 11 bis 15 Minuten garen.

Für das Feigenconfit den Kristallzucker im Topf schmelzen, mit Portwein und Rotwein ablöschen, reduzierend einkochen. Die geschälten und gewürfelten Feigen zugeben, leicht verkochen. Mit etwas Rotweinessig sowie Salz und Pfeffer abschmecken.

Für die Maronivinaigrette Balsamico, Honig und Sonnenblumenöl verrühren. Maroni und Haselnüsse einrühren, mit Salz und Pfeffer abschmecken.

Blattsalate putzen, waschen und trocken schleudern. Salate marinieren, in der Tellermitte anrichten. Feigenconfit und in Scheiben geschnittenes Perlhuhn rundum anrichten, mit der Maronivinaigrette beträufeln.

KNOLL, UNTERLOIBEN GELBER MUSKATELLER Federspiel 2005
Eine rare Rebsorte in der Wachau. Wird meist mittelgewichtig vinifiziert. Die Nase duftet zart nach Holunderblüten. Am Gaumen ist dieser Ton noch ausgeprägter, mit herrlichem Säurespiel.

Einfacher Apfelkuchen

30 Minuten (ohne Stehzeiten)/leicht

Zutaten für 4 Personen

Für den Teig
400 g Mehl
1 Pkg. (8 g) Backpulver
200 g Staubzucker
1 Pkg. (8 g) Vanillezucker
250 g Butter
1 Ei
Butter für die Form

Für den Belag
2 kg Äpfel
$1\frac{1}{2}$ l Apfelsaft
180 g Puddingpulver
200–400 g Zucker (je nach Säure der Äpfel)
Schlagobers zum Anrichten

Alle Zutaten für den Teig rasch (wie Mürbteig) zu einer kompakten Masse verarbeiten und 1 Stunde kühl rasten lassen.
Teig dünn ausrollen und in eine gebutterte Kuchenform legen. Den Teig mit Backtrennpapier auslegen, mit trockenen Hülsenfrüchten auffüllen und im vorgeheizten Backrohr bei 180 °C etwa 15 Minuten „blind" backen, danach auskühlen lassen.

Äpfel schälen, entkernen und blättrig schneiden.
1 Liter Apfelsaft aufkochen, den restlichen Saft mit dem Puddingpulver verrühren. In den Apfelsaft einrühren und kurz kochen lassen, bis die Flüssigkeit leicht dicklich wird, die Apfelscheiben sowie den Zucker zugeben und die Masse auf den Kuchenboden streichen. Kuchen im vorgeheizten Rohr nochmals 12 Minuten backen. Erkalten lassen und mit Schlagobers garniert servieren.

EHN, LANGENLOIS PANZAUN Gelber Muskateller 2005

Diese Reben stehen auf Lössboden. Der Wein ist geprägt von einer zarten Holundernase. Am Gaumen ist er typisch muskatig, traubenintensiv und sehr frisch – jung trinken!

Sauvignon Blanc

Diese Rebsorte stammt ursprünglich aus dem Südwesten Frankreichs. Sauvignon Blanc fühlt sich grundsätzlich in kühleren Gebieten wohl, aber er braucht Sonne, um diese intensive fruchtige Aromatik ausbilden zu können. Sauvignon Blanc ist ein Global Player. Er ist in der Alten Welt, aber auch in anderen Kontinenten angesiedelt. Bekannte Exemplare dieser Gattung kommen aus Neuseeland oder aus den kühleren küstennahen Regionen Chiles. Die österreichische Sauvignon-Blanc-Hochburg ist die Steiermark, wo mehr als 50 Prozent der österreichweiten Sauvignon-Bestände zu finden sind. Aber auch aus Niederösterreich sowie aus dem Burgenland kommen beeindruckende Vertreter.

STIL UND GESCHMACK

Österreichischer Sauvignon ist in der Regel eine gelungene Mischung zwischen ausgeprägter Fruchtigkeit und Säurestruktur sowie dezent vegetalen Anklängen. Die einfacheren Weine mit einem Alkoholgehalt bis maximal 12,5% schmecken am besten jung. Am Gaumen wirken sie etwas grasig, erinnern in Duft und Geschmack an grüne Paprikaschoten.
Bei den alkoholreicheren Sauvignons tendiert man seit einigen Jahren zur fruchtigeren Stilistik: Im Duft erinnern diese an Holunderblüten, häufig schmeckt der Wein nach Stachelbeeren und weißen Ribiseln.
Wenn Sauvignon Blanc im Barrique ausgebaut wird, schmeckt er nach einigen Jahren Flaschenreife am besten.

PASST ZU
gerösteten Knödeln mit Ei
Krautfleckerln
Letscho
Paradeiser-Melanzani-Gemüse
Krautroulade
Fischbeuschelsuppe
Erdäpfelcremesuppe
Schweinsbraten mit Erdäpfelknödel
gefülltem Hendl
gebratenem Kabeljaufilet
Heringsschmaus

Seeteufel mit Mojo und mediterranem Gemüse

20 Minuten/leicht

Zutaten für 4 Personen

600 g Seeteufelfilet
Olivenöl
1 Zucchini
1 Melanzani
2 gelbe Paprika, geschält
Salz, Pfeffer

Für die Mojo
8 EL geschälte, leicht getrocknete Paradeiser
3 EL geröstete geschälte Haselnüsse
1–2 EL Weißbrotbrösel
3–4 EL Olivenöl
Salz

Für den Olivenölsud
200 ml Fischfond (oder milde Rindsuppe)
1 kleiner gekochter Erdapfel
150–200 ml kaltgepresstes Olivenöl
1 Zweig Thymian
Spritzer Zitronensaft
Salz, Pfeffer

Zum Anrichten
frischer Thymian
Gnocchi

Alle Zutaten für die Mojo zu sämig-breiiger Konsistenz mixen, würzig mit Salz abschmecken.

Den Fisch auf allen Seiten bei mäßiger Hitze in Olivenöl braten. Zum Schluss den Fisch mit der Mojo bestreichen und bei starker Oberhitze in 2 Minuten im Rohr auf den Punkt garen. Zucchini, Melanzani und Paprika in 5 mm dicke Dreiecke schneiden, mit Salz und Pfeffer würzen und in Olivenöl grillen.

Für den Olivenölsud den Fond mit dem gepressten Erdapfel und dem Thymian erwärmen. Thymian entfernen, mit Olivenöl aufmixen, mit Zitronensaft, Salz und Pfeffer abschmecken.

Das gegrillte Gemüse auf Tellern verteilen und mit der Sauce umgießen, Fisch daraufsetzen und mit Thymian garnieren. Mit den gekochten, in Olivenöl geschwenkten Gnocchi servieren.

F. X. PICHLER, OBERLOIBEN SAUVIGNON BLANC Smaragd 2005
Diese Sorte wird klassisch vinifiziert, also nicht im Barrique, und der Winzer achtet besonders auf die physiologische Reife und Hochwertigkeit der Trauben. Der Wein duftet und schmeckt nach Holunderblüten und hat einen langen Abgang.

Rote Curryschaumsuppe

40 Minuten/leicht

Zutaten für 4 Personen

1 Schalotte
1 Stange Zitronengras
Öl zum Braten
1 EL Tomatenmark
100 g Cherrytomaten
1 kleine Dose Pelatitomaten
500 ml milde Rindsuppe
2 EL rote Currypaste
2 EL milder Curry
1–2 TL scharfer Curry
400 ml Kokosmilch

Zum Anrichten
4 geschälte Cherrytomaten
Chilisauce
Kokosraspel

Schalotte fein hacken, gemeinsam mit dem gehackten Zitronengras in wenig Öl anschwitzen. Tomatenmark, Cherry- und Pelatitomaten dazugeben, mit etwas Suppe aufgießen und etwa 30 Minuten bei mäßiger Hitze köcheln lassen. Die verschiedenen Currysorten und die Kokosmilch dazugeben, nochmals aufkochen, danach schaumig mixen. Falls nötig, die Curryschaumsuppe noch mit etwas Rindsuppe verlängern und abschmecken.

Zum Anrichten die geschälten Cherrytomaten in Chilisauce tauchen und in Kokosraspeln wälzen. Zur Suppe servieren.

NIGL, SENFTENBERG SAUVIGNON BLANC 2005

Ausnahmsweise einmal ein Wein zur Suppe. Dieser Wein präsentiert sich neben dem Holunderton auch mit einer Note von Schwarzen Johannisbeeren. Er ist ein frischer, süffiger Sauvignon Blanc.

Blaufränkisch

Wo er herkommt, ist nicht mehr wirklich nachzuvollziehen. Einerseits würde der Name Blaufränkisch auf Franken deuten, in Deutschland ist er allerdings unter dem Namen Lemberger bekannt und kommt in Franken nicht vor. Vermutet wird ein Ursprung in Frankreich (fränkisch) aus der Zeit Karl des Großen, der edle französische Rebsorten als „fränkisch" und unedle aus dem Osten kommende als „hunnisch" bezeichnete. Gegen Ende des 10. Jahrhunderts wurde er angeblich nach Österreich gebracht, von wo aus sich die Rebsorte auch nach Deutschland und nach Osten ausbreitete. Fest steht jedenfalls, dass der Blaufränkisch – in Österreich mit einem Rebflächenanteil von 5,44 Prozent die zweitwichtigste Rotweinrebsorte – im pannonischen Raum ideale Bedingungen vorfindet. Für Topqualitäten lautet das Zauberwort aber ebenso wie bei Zweigelt „Ertragsbeschränkung".

STIL UND GESCHMACK

Blaufränkisch schmeckt häufig ausgeprägt fruchtig nach dunklen reifen Kirschen und dunklen Beeren, dazu kommt eine fast pikant-würzige Komponente. Er hat eine sehr belebende Säure und kann vielschichtige, dichte Weine mit gutem Lagerpotenzial hervorbringen. Blaufränkisch macht sich in Barrique ausgebaut sehr gut und beeindruckt in der Flasche sowohl reinsortig als auch in Cuvées in Kombination mit heimischen, aber auch internationalen Sorten.

PASST ZU
Wildpastete
Pilzen
Fleischlasagne
Tortellini
Cannelloni
Innereien (Herz, Leber, Niere, Zunge)
Wildgeflügel
Käse (besonders Rotschmier)
geschmorter Kalbsstelze
Zwiebelrostbraten
gekochtem Rindfleisch (Tafelspitz)
Rindsrouladen
Beef Tatar

Fisoleneintopf mit Lamm

1 Stunde/leicht

Zutaten für 4 Personen

500 g Lammschulter
Salz, Pfeffer
Öl zum Braten
4 Schalotten
ganze Knoblauchzehen (je nach Geschmack)
2 Zweige Thymian
2 Zweige Rosmarin
1 EL Tomatenmark
Schuss Rotwein
Suppe zum Aufgießen
400 g zarte Fisolen
6–8 Paradeiser
300 g Erdäpfel
1 Lammrücken (mit 8 Rippenknochen)

Lammschulter in 3–4 cm große Würfel schneiden, mit Salz und Pfeffer würzen. Fleischwürfel in heißem Öl anbraten, die grob geschnittenen Schalotten, Knoblauch, die Hälfte der Kräuter sowie Tomatenmark kurz mitrösten.
Mit einem Schuss Rotwein ablöschen, mit etwas Suppe auffüllen. Das Fleisch zugedeckt in 30–45 Minuten weich schmoren.

In der Zwischenzeit Fisolen putzen, in Stücke brechen und in Salzwasser 7–10 Minuten kochen, danach in gesalzenem Eiswasser abschrecken. Paradeiser blanchieren, schälen, vierteln und entkernen. Erdäpfel schälen und mit einem Parisienne-Ausstecher Kugeln ausstechen.
Ehe das Fleisch völlig weich gekocht ist, die rohen Erdäpfelkugeln, die Fisolen und abschließend das Paradeiserfruchtfleisch darauf verteilen und noch etwa 10 Minuten schmoren.

Den Lammrücken mit Salz und Pfeffer würzen, in etwas Öl beidseitig anbraten. Mit den verbliebenen Kräutern im auf 180 °C vorgeheizten Rohr 5 Minuten braten.
Danach den Lammrücken aus dem Rohr nehmen, an einem warmen Ort 5 Minuten rasten lassen, erst dann in Scheiben schneiden.
Mit den gebratenen Kräutern auf dem Fisoleneintopf anrichten.

BAYER, NECKENMARKT IN SIGNO SAGITTARII Blaufränkisch 2002
Ein reinsortiger Blaufränkisch von über 60 Jahre alten Rebstöcken. Dieser Wein besticht durch seine Dunkelfruchtigkeit und hat Noten von Tabak, Teer und schwarzen Oliven. Am Gaumen zeigt er zudem noch eine herrliche Brombeer-Cassis-Note und hat einen langen Abgang.

Beinfleisch mit Majoranerdäpfeln

2 Stunden/leicht

Zutaten für 4 Personen

Für das Fleisch
800 g Beinfleisch mit Knochen
Salz
350 g Wurzelgemüse (Karotte, Petersilwurzel, Knollensellerie, Stangensellerie, 1 kleiner heller Lauch)
schwarze Pfefferkörner
Lorbeerblätter
Muskatblüte (Macis)
Muskatnuss

Für die Majoranerdäpfel
60 g Mehl
60 g Fett
1 Schalotte
1 l Rindsuppe
1 Lorbeerblatt
abgeriebene Zitronenschale
1 kg gekochte Erdäpfel
Majoran
125 ml Sauerrahm
Spritzer Essig (oder 3 EL fein geschnittene Essiggurkerl)
Salz

Fleisch in leicht gesalzenes, kochendes Wasser einlegen. Nach ca. 1$^{3}/_{4}$ Stunden das grob geschnittene Wurzelgemüse und die Gewürze dazugeben und weiterkochen.
Wenn das Fleisch weich ist, aufschneiden und mit den Majoranerdäpfeln und etwas Wurzelgemüse servieren.

Für die Majoranerdäpfel das Mehl in heißem Fett langsam und nicht zu dunkel rösten. Die fein geschnittene Schalotte kurz mitrösten und mit kalter Rindsuppe aufgießen. Lorbeerblatt und etwas Zitronenschale zugeben und zu einer nicht zu dicken Sauce verkochen. Die Sauce über die geschälten, in Scheiben bzw. Würfel geschnittenen Erdäpfel gießen, nochmals kurz aufkochen. Mit viel Majoran, Sauerrahm, Essig (oder Essiggurkerln) und Salz abschmecken.

TIPP *Entweder kalte Suppe und heiße Einbrenn oder kalte Einbrenn und heiße Suppe verrühren. Beide Zutaten sollten nie heiß sein, weil sonst Bröckerl entstehen.*

KRUTZLER, DEUTSCH-SCHÜTZEN BLAUFRÄNKISCH Reserve 2002
Dieser Wein stammt von 20 bis 30 Jahre alten Rebstöcken und ist in gebrauchten Barriques ausgebaut. Er hat ein Aroma von dunklen Beeren, das sich am Gaumen fortsetzt, und ist geprägt von Mineralität und langem Abgang. Nach vier bis fünf Jahren trinkreif.

Fasanenbrust mit Apfel-Trauben-Sauerkraut

1 Stunde/aufwendig

Zutaten für 4 Personen

4 ausgelöste Fasanenbrüste
Salz, Pfeffer, Thymian
100 g dünn geschnittener grüner Speck
100 g küchenfertiges Schweinsnetz

Für die Sauce

1 Scheibe Bauchspeck
3 Pimentkörner
1 Lorbeerblatt
1 EL Karottenwürfel
500 ml Wildfond
60 ml Obers
1 EL Sauerrahm
schwarzer Pfeffer

Für das Apfel-Trauben-Sauerkraut

3 Schalotten
Schmalz zum Anrösten
Prise Zucker
500 g Sauerkraut
etwas Wein
3 Äpfel
4 EL Erdäpfelpüree (oder gekochte, heiß gepresste Erdäpfel)
150 g Trauben

Fasanenbrüste mit Salz, Pfeffer und Thymian würzen, in grünen (also nicht geräucherten) Speck und Schweinsnetz einwickeln. Die verpackten Fasanenbrüste rundum gut anbraten und im Rohr bei 180 °C etwa 15 Minuten weiter braten, danach rasten lassen.

Im Bratenrückstand würfelig geschnittenen Bauchspeck, Pimentkörner, Lorbeerblatt sowie die Karottenwürfel braten. Mit Wildfond aufgießen, auf 125 ml einkochen, danach abseihen. Mit Obers aufgießen, mit Sauerrahm und Pfeffer abschmecken.

Für das Sauerkraut die Schalotten schälen, fein schneiden und in heißem Schmalz leicht anrösten und zuckern. Sauerkraut einige Male durchschneiden, mehr als zwei Drittel zu den Schalotten geben. So viel Flüssigkeit, also Wein und eventuell auch Wasser, zugeben, dass das Kraut saftig dünsten kann. Zwei geschälte, würfelig geschnittene Äpfel untermischen.
Nach ca. 1 Stunde das Erdäpfelpüree unterheben, einen würfelig geschnittenen Apfel sowie die halbierten und entkernten Trauben und das restliche Kraut frisch unterziehen.

Die Fasanenbrüste in Stücke schneiden und mit der Sauce sowie dem Apfel-Trauben-Sauerkraut anrichten.

KOLLWENTZ, GROSSHÖFLEIN DÜRR Blaufränkisch 2004

Dieser Wein stammt von einem extremen Kalkboden aus einer der höchsten und zudem auch einer der ältesten Lagen – 1570 erstmals erwähnt – des Leithagebirges. Er hat eine ausgeprägte Duftigkeit nach Erdbeeren, ist kraftvoll, hat aber zugleich eine charmante Gaumenfülle. Erst nach zwei bis drei Jahren Lagerung trinken.

Pinot Noir (Blauer Burgunder)

Die Rebsorte stammt ursprünglich aus dem französischen Burgund. Pinot Noir stellt hohe Ansprüche an Lage, Boden und Klima und spiegelt ganz besonders das spezifische und typische Terroir einer Lage wider. Aufgrund von besonderen Klimaansprüchen, Anfälligkeiten für Krankheiten und geringen Erträgen zählt der Pinot Noir allerdings auch zu den launischsten und schwierigsten Rebsorten überhaupt. Vielen Winzern gilt die Kelterung dieser als kapriziös beschriebenen Rebsorte daher als „Königsdisziplin" der Rotweinherstellung.

STIL UND GESCHMACK
Die typischen Hauptmerkmale sind ein zartes „Stinkerl" in der Nase (also z. B. würzige Stalltöne, Leder, Waldboden) sowie Beerenfrucht und Lebkuchenaromatik; auch zarte Bittermandeltöne sind nicht selten. Gelungene Weine präsentieren sich am Gaumen vollmundig und samtig zugleich.
Immer mehr österreichische Winzer bauen Pinot Noir auch im Barrique aus. In diesem Fall sollten die Weine bei Trinkgenuss schon eine Flaschenreife von zumindest vier Jahren hinter sich haben.

PASST ZU
Fisch in Rotweinsauce
Kalbsleber
geschmortem Rindsschulterscherzerl in Rotwein
Rindsrouladen
Martinigansl mit Rotkraut
Entenbrust
Wildgeflügel mit leichter Sauce
Käse

Kalbsleber mit Dörrzwetschken

40 Minuten (ohne Stehzeiten)/aufwendig

Zutaten für 4 Personen

800 g Kalbsleber
200 g küchenfertiges Schweinsnetz
100 g Butter zum Braten und Montieren
2 Schalotten
Thymian
60 ml Rotwein
250 ml Kalbsfond
Salz, Pfeffer

Für die Reisteigröllchen
½ Tasse Basmatireis
20 g Butter
1 kleines Stück Ingwer
Salz
1 EL Chutney
1 EL Pinienkerne
einige Rosinen, gehackt
4 Reisteigblätter (10 x 10 cm)
1 Eiklar
Öl zum Backen

Für die Dörrzwetschken
250 ml Rotwein
250 ml Portwein
1 Hand voll Dörrzwetschken
Spritzer Balsamico
2 Gewürznelken
1 kleine Zimtstange

Leber von vorhandenen Häutchen und Adern befreien, der Länge nach in vier dicke Tranchen schneiden. Leber pfeffern und in das Schweinsnetz einwickeln. In einer heißen Pfanne auf beiden Seiten gut anbraten, anschließend im Rohr bei 200 °C in etwa 5–7 Minuten fertig braten. Vor dem Anrichten an einem warmen Platz 5 Minuten rasten lassen.

Für die Sauce fein geschnittene Schalotten in Butter anrösten. Thymian und die beim Zuputzen angefallenen Leberreste dazugeben, nochmals durchrösten, mit etwas Rotwein ablöschen und mit dem Kalbsfond aufgießen. Auf die Hälfte der ursprünglichen Flüssigkeitsmenge einkochen, durch ein Sieb seihen, mit etwas Salz und Pfeffer würzen und mit eiskalter Butter montieren.

Den Reis in zerlassener Butter kurz durchschwenken. Den geschälten, blättrig geschnittenen Ingwer dazugeben, salzen, mit ¾ Tasse Wasser aufgießen und im Rohr zugedeckt bei 170 °C 20–25 Minuten weich dünsten. Etwas abkühlen lassen, dann mit dem Chutney und den gerösteten, grob gehackten Pinienkernen und Rosinen vermischen und abschmecken. Die Reisteigblätter auf ein feuchtes Tuch legen. Mit etwas aufgeschlagenem Eiklar bestreichen. Den Teig am unteren Rand mit dem Reis belegen. Die Seiten einschlagen und dann fest einrollen, damit die Röllchen nicht aufgehen. In heißem Fett schwimmend backen.

Für die Dörrzwetschken Rotwein und Portwein auf die Hälfte einkochen, die Zwetschken mit einem Spritzer Balsamico, Gewürznelken und einer kleinen Zimtstange einlegen. Einmal aufkochen und ein paar Stunden ziehen lassen.

Die Leber in größere Stücke schneiden, mit den Reisröllchen, den Dörrzwetschken und etwas Sauce dekorativ anrichten.

BAYER, NECKENMARKT IN SIGNO TAURIS Pinot Noir 2002

Ein klassischer Pinot Noir. In der Nase und am Gaumen erkennt man Himbeeren, Efeu und einen Schlehenton sowie den Geschmack von zart ziselierten Beeren, am Gaumen ist er kräftig und hat noch dazu ein animierendes Säurespiel. Nach vier bis fünf Jahren auf dem Höhepunkt.

Syrah

Die Rebsorte Syrah schickt sich an, in die Fußstapfen des Cabernet Sauvignon zu treten, was ihre weltweite Verbreitung betrifft. In Sachen Topqualität hat sie auf der südlichen Halbkugel ein paar ganz hohe Trumpfkarten. In Australien und Südafrika kann die Sorte auf eine beträchtliche Tradition zurückblicken. In Österreich beschäftigen sich erst einige wenige Winzer mit dieser Sorte. Wenn eine Rebsorte Syrah – oder in der englischen Variante Shiraz – heißt, dann sind die Spekulationen über ihre Herkunft aus Syrakus (Sizilien) oder Shiraz (die mittelalterliche Hauptstadt Persiens) naheliegend. Allerdings sind das tatsächlich nur Spekulationen. Mit Syrakus hat die Rebe nichts am Hut, und der seinerzeit berühmte Wein aus Shiraz war weiß.

STIL UND GESCHMACK

Ähnlich dem Cabernet im Bordeaux hat Syrah im nördlichen Rhônetal, vor allem in Hermitage (in jüngerer Zeit aber auch in Côte Rôtie), nicht nur ein Alterungspotenzial, das seinesgleichen sucht. Zwischen dem Syrah in seiner europäischen Heimat an der Rhône und dem Shiraz der Südhalbkugel bestehen beträchtliche Unterschiede. In Frankreich zeichnen sich die Weine durch straffe, präzise Struktur aus, die Beerenfrucht ist leicht bis kräftig pfeffrig unterlegt. In der Neuen Welt wird sie wesentlich üppiger, Schokonoten bringen eine süßliche Note mit ins Spiel, die Textur ist wesentlich weicher angelegt.
Der berühmteste Shiraz der Neuen Welt ist der australische Grange von Penfolds, der bei Degustationen beinahe auf 100 Punkte abonniert zu sein scheint.

PASST ZU

dunklen Fleischgerichten
(geschmort oder kurz gebraten)
Wildgerichten mit Beeren
(als Beilage, Sauce oder Gelee)
altem Gouda

Gänseleber mit Pfirsich und rotem Pfeffer

15 Minuten/leicht

Zutaten für 4 Personen

4 Weingartenpfirsiche
3 EL Butter
1 TL Kristallzucker
125 ml Pfirsichsaft
etwas Pfirsichlikör (Pêcher Mignon)
rote Pfefferkörner
4 Scheiben Brioche (1 cm dick)
8 Gänseleberwürfel (à 80 g)
Salz, Pfeffer
Mehl

Pfirsiche schälen und in Spalten schneiden.
Die Pfirsichspalten in 1 EL schäumender Butter anbraten, mit Zucker karamellisieren, mit Pfirsichsaft und Likör ablöschen. Rote Pfefferkörner zugeben, salzen und die Pfirsichspalten öfter mit der Flüssigkeit übergießen (glacieren).

Briochescheiben in 2 cm große Würfel schneiden und in 1 EL Butter rundum anbraten. Gänseleber salzen, pfeffern und in Mehl wenden, in 1 EL Butter beidseitig langsam braten.

Gänseleber mit den Pfirsichen und der Sauce auf der Brioche anrichten.

SALOMON ESTATE, AUSTRALIEN FINNISS RIVER Shiraz

Nur unweit unseres Restaurants – gegenüber der Donau – befindet sich das Weingut Salomon-Undhof in Stein an der Donau. Dr. Berthold Salomon hat am anderen Ende der Welt in Finniss in Südaustralien seit 1995 ein Weingut. Dort vinifiziert er u. a. einen exzellenten Shiraz. Es ist ein Wein mit österreichischer Handschrift vom australischen Terroir. Er zeigt dunkle Weichselfarbe, am Gaumen ebenso Weichselfrucht mit Pflaumentönen, schwarzem Pfeffer und ist zart tabakig mit ledrigem Abgang. Sollte erst nach drei bis fünf Jahren getrunken werden.

Merlot

Stammt ursprünglich wahrscheinlich aus dem Bordeaux. Erste schriftliche Aufzeichnungen über den Merlot finden sich im 18. Jahrhundert. Sehr anpassungsfähige Rebsorte, die auch gut in die österreichischen Klima- und Bodenbedingungen passt.
In Österreich ist Merlot seit 1986 als Qualitätsrebsorte zugelassen.

STIL UND GESCHMACK
Generell schmeckt der rubinfarbene Merlot in der Jugend samtig und weich. Bei nicht ausreichender Reife entstehen Weine mit eher grasig-grün-würzigen Noten im Bukett, während im ausgereiften Zustand saftige Beerenaromen und geschmeidige Tannine kennzeichnend sind. Der Merlot eignet sich gut als Verschnittpartner für Rotwein-Cuvées.
Der berühmteste reinsortige Merlot-Wein ist Château Petrus, welcher vor allem für seine horrenden Preise (ab 1.000,– Euro) bekannt ist.

PASST ZU
gebratenem Rind
Weißschimmelkäse (Brie, Camembert)
warmen Käsegerichten
Wildgeflügel
gebackenen Champignons mit Sauce tartare
gedünsteter Beiriedschnitte
Rindsschnitzel mit Nudeln
Rahmherz mit Serviettenknödel

Freilandhuhn mit Schwarzwurzeln und schwarzer Trüffel

40 Minuten/aufwendig

Zutaten für 4 Personen

Für die Spinaträllchen
4 Lasagneblätter
125 ml Obers
1 El geriebener Parmesan
2 EL Butter
200 g Blattspinat, blanchiert
Salz, Pfeffer
Butter für die Form

Für das Huhn
20 g Périgord-Trüffel
4 Hühnerbruststücke mit Haut
Salz, Pfeffer
Butter
125 ml Geflügelfond

Für die Schwarzwurzeln
300 g Schwarzwurzeln
Salz
Schuss Milch
Butter zum Schwenken
60 ml Obers

Die Lasagneblätter kochen. Obers aufkochen, würzen und mit Parmesan und etwas Butter mollig machen. Den blanchierten Spinat in etwas zerlassener Butter schwenken, würzen und auf den gekochten Lasagneblättern verteilen. Mit etwas Parmesan bestreuen, fest einrollen und in eine gebutterte Form legen. Mit der Obersmischung übergießen und im heißen Rohr bei 180 °C Oberhitze überbacken.

Trüffel in feine Scheiben schneiden und vorsichtig unter die Haut der Hühnerbruststücke schieben (einige Trüffelscheiben zum Garnieren beiseitelegen), mit Salz und Pfeffer würzen. In etwas Butter in der Pfanne anbraten und im Rohr bei 180 °C in ca. 20 Minuten knusprig braten, währenddessen immer wieder mit dem Geflügelfond aufgießen. Hühnerbrüste nach dem Braten 10 Minuten warm abgedeckt rasten lassen. Den beim Braten entstandenen Saft etwas einkochen und durch das Einrühren von eiskalter Butter montieren.

Schwarzwurzeln unter fließendem Wasser gut bürsten, schälen und in Salzwasser mit einem Schuss Milch kochen. In 4 cm lange Stücke schneiden, dann der Länge nach vierteln und in Butter und etwas Obers schwenken. Die Schwarzwurzeln können so einige Minuten ziehen.

Hühnerbrüste aufschneiden und mit Schwarzwurzeln, Trüffelscheiben und den Spinaträllchen servieren.

KRUTZLER, DEUTSCH-SCHÜTZEN MERLOT Reserve 2003
Dieser Wein stammt zu 100% aus einem Weingarten, dessen Reben maximal zehn Jahre alt sind. Er wird sehr oft für große Cuvées verwendet und besticht durch sein Waldbeerenaroma und seine Mineralität, er ist ausdrucksstark und komplex, samtig und weich im Abgang. Sollte frühestens nach drei bis vier Jahren getrunken werden.

Rotwein-Cuvées

Wer von Cuvées spricht, streift unweigerlich das Thema Bordeaux. Bordeaux stellt mit rund 10.000 Hektar Fläche und 13.000 Weingütern das größte und wichtigste Weinbaugebiet Frankreichs dar. Roter Bordeaux ist der Klassiker unter den Rotweinen. Ganz gleich, ob Lafite, Latour oder Mouton Rothschild.
Die wenigsten der klassifizierten Topgewächse sind reinsortig, die meisten sind Verschnittweine auf Cabernet-Sauvignon-Basis. Ein weiterer großer Anteil der Bordeaux-Rebfläche ist mit Merlot bestückt. Gemeinsam mit Cabernet Franc, Malbec und Petit Verdot ergibt das die zweite wichtige Bordeaux-Topweinvariante. Beinahe alle klassischen Weine aus romanischen Ländern sind Cuvées. (Manchmal sogar aus fünf und mehr verschiedenen Sorten wie bei Chianti und Châteauneuf-du-Pape.)
Und es existieren natürlich gesetzliche Vorgaben über Höchst- und Mindestanteile der einzelnen Reben (im Chianti musste lange Zeit Weißwein enthalten sein).

STIL UND GESCHMACK

Der Vorteil des Cuvée-Systems liegt auf der Hand. Witterungsbedingte Schwankungen lassen sich mit einer geringfügig veränderten Rebsortenzusammenstellung wirkungsvoll ausgleichen. Dazu ist man auch nicht auf die Charakteristik einer einzigen Rebsorte angewiesen, was besonders im internationalen Vergleich zu einer oft langweilig anmutenden Uniformität führt.
Auch verschiedene Terroirs und Ausbaumethoden können so geschmackvoll kombiniert werden. Etwa ein in neuen Holzfässern ausgebauter Wein mit einem sehr fruchtbetonten Ausdruck.
Meistens werden heute fertige Weine miteinander verschnitten, seltener werden schon die Trauben gemeinsam gekeltert oder die Moste verschnitten. Der Grund: Bei fertigen Weinen ist das Ergebnis sehr viel besser planbar. Der Winzer kann die optimalen Mischungsverhältnisse im kleinen Maßstab ausprobieren. Das Thema Cuvée ist natürlich – wenn auch seltener – bei Weißwein ein Faktor. Champagner und Sherry sind übrigens so gut wie immer verschnitten.

PASST ZU

dunklen Fleischgerichten
(geschmort oder kurz gebraten)
Fisch mit Rotweinsauce
Lamm oder Rindfleisch, im Ganzen gebraten

4-Minuten-Ei mit Schnittlauchcreme und Steinpilzen

15 Minuten/leicht

Zutaten für 4 Personen

4 Eier
2 Eidotter
60 ml Suppe
125 ml Obers
Salz, Pfeffer
Muskatnuss
2 EL Schnittlauch
200 g kleine feste Steinpilze
Butter zum Braten
8 knusprige Crostini zum Anrichten

Eier 4 Minuten kochen, danach in Eiswasser kurz abschrecken und schälen.

Die 2 Dotter mit Suppe und Obers über Dampf schaumig schlagen. Mit Salz, Pfeffer und Muskatnuss würzen, mit dem fein geschnittenen Schnittlauch fertigstellen.

150 g Steinpilze in dickere Scheiben schneiden und in Butter kurz anbraten. Die restlichen Steinpilze roh in dünne Scheiben hobeln.

Die geschälten Eier in passende Gläser geben und die gebratenen Pilze darüber verteilen.
Mit der Schnittlauchcreme übergießen, mit Crostini und gehobelten rohen Steinpilzen garnieren.

JURTSCHITSCH, LANGENLOIS ROTSPON Reserve 2003
Cuvée 50% Blauer Burgunder, 40% Zweigelt, 10% Merlot
Steinpilze vertragen einen kräftigen Weißwein oder einen vollmundigen Roten.
Diese Cuvée zeigt Aromen von dunklen Waldbeeren, verwoben mit samtigen Tanninen.
Ein substanzreicher Wein, nach drei bis vier Jahren trinkbar.

Ochsenkotelett mit gefüllter Zwiebel

ca. 3 Stunden/leicht

Zutaten für 4 Personen

$1^1/_2$ kg Ochsenkotelett am Knochen
Salz, Pfeffer
Öl und Butter zum Braten
Lorbeerblätter
Salbei
Rosmarin

250 ml Kalbsfond
50 g kalte Butter

4 oder 8 Gemüsezwiebeln (je nach Größe)
4 große Erdäpfel
1 Hand voll Fisolen

Fleisch salzen, pfeffern und in einer Pfanne mit Öl und Butter gut anbraten. Die Kräuter beigeben (einige Kräuter fürs Anrichten beiseitelegen) und kurz mitbraten. Das Fleisch im Rohr auf einen Rost legen (Blech darunter einstellen). In die Fleischmitte ein Bratenthermometer stecken. Bei 120 °C Backrohrtemperatur bis 40 °C Kerntemperatur braten. Dann die Hitze auf 100 °C reduzieren und bis 50 °C Kerntemperatur braten. Abschließend die Backrohrtemperatur auf 70 °C reduzieren und bis zu einer Kerntemperatur von 60 °C braten. Bei 60 °C Kerntemperatur ist das Fleisch herrlich rosa und fertig gebraten. Sie können den Braten bei 70 °C Backrohrtemperatur noch länger im Rohr lassen, das Fleisch gart nicht weiter durch.

Den Bratenrückstand mit den Kräutern mit etwas Kalbsfond aufgießen, reduzieren, abseihen und mit eiskalter Butter montieren.

Zwiebeln in Alufolie wickeln und im Rohr bei 170 °C in 30 bis 40 Minuten weich garen. Die Erdäpfel kochen, schälen und in Scheiben schneiden, in etwas Öl knusprig braten. Fisolen putzen, klein schneiden und in Salzwasser weich kochen. Die weichen Zwiebeln aus der Folie und der Schale schälen, oben abschneiden. Die inneren Zwiebelringe herausnehmen und klein hacken. Mit den gekochten Fisolen mischen und in die Zwiebeln füllen.

Vor dem Servieren Butter in einer Pfanne aufschäumen, einige frische Kräuter beigeben, etwas salzen. Fleisch dazugeben und mit der Butter einige Minuten übergießen. Fleisch in Scheiben schneiden, mit den gefüllten Zwiebeln, Braterdäpfeln sowie dem Saft servieren.

BAYER, NECKENMARKT IN SIGNO LEONIS 2002

Cuvée 65–70% Blaufränkisch, 15% Zweigelt, 15–20% Cabernet Sauvignon

Dunkelfruchtig in der Farbe, am Gaumen Schwarzbeerenfrucht mit einem Hauch von Tabak und Bitterschokolade. Der Wein ist massiv, mineralisch strukturiert und noch kräftig im Tannin, deswegen sollte er erst nach vier bis fünf Jahren getrunken werden.

Geschmorte Hirschkalbsschulter mit winterlichem Gemüsecassolette

2 Stunden/aufwendig

Zutaten für 4 Personen

2 kg Hirschkalbsschulter, in Stücke zerteilt
Salz, Pfeffer
Öl zum Braten
120 g Karotten
100 g Sellerie
100 g Schalotten
2 EL Tomatenmark
375 ml Rotwein
125 ml roter Portwein
60 ml Crème de Cassis
1 Zweig Rosmarin
je 5 Piment-, Pfeffer- und Wacholderbeeren
$2\frac{1}{2}$ l Kalbsfond (oder Wildfond)

Für das Gemüsecassolette

100 g Karotten u. gelbe Rüben
80 g Knollensellerie
80 g Maroni, gekocht und geschält
80 g Knollenziest (Crosne bzw. Stachy)
80 g Kohlsprossenblätter
80 g Romanesco
2 EL Butter
1 EL Zucker
Schuss Apfel-Balsamessig
2 EL Kalbssauce
kalte Butter zum Montieren
Salz, Pfeffer

Fleisch mit Salz und Pfeffer würzen, in wenig Öl rundum scharf anbraten, danach aus dem Bräter nehmen.
Karotten, Sellerie und Schalotten schälen, in grobe Stücke schneiden. Gemüse gut im Bratensatz anbraten und dabei langsam Farbe nehmen lassen. Tomatenmark mitrösten, dabei darauf achten, dass es nicht anbrennt. Mit Rotwein, Portwein und Crème de Cassis ablöschen. Flüssigkeit einkochen lassen, dann sämtliche Gewürze und das Fleisch dazugeben. Mit dem Fond aufgießen und im Rohr bei 150 °C in ca. 2 Stunden weich schmoren.

Für das Gemüsecassolette alle Gemüse in gleich große Stücke schneiden. Jede Gemüsesorte getrennt in Salzwasser weich kochen, danach in Eiswasser abschrecken. Butter aufschäumen und bis auf die Kohlsprossen alle Gemüse durchschwenken, mit Zucker glasieren, mit Essig ablöschen. Kalbssauce zugießen und einkochen. Zum Schluss mit etwas kalter Butter montieren und Kohlsprossenblätter einschwenken, mit Salz, Pfeffer abschmecken.

Fleisch in Scheiben schneiden. Die Sauce durch ein Sieb passieren, das Fleisch damit übergießen und mit dem Gemüse servieren.

KOLLWENTZ, GROSSHÖFLEIN EICHKOGEL 2003
Cuvée 70% Blaufränkisch, 30% Zweigelt
Dieser Wein hat die Würzigkeit des Blaufränkischen und die Samtigkeit des Zweigelts.
Er ist kraftvoll, aber trotzdem mild, erst nach drei bis vier Jahren zu trinken.

Erdäpfelcrêpes mit Steinpilzen

30 Minuten (ohne Stehzeiten)/aufwendig

Zutaten für 4 Personen

Für die Crêpes
250 g mehlige Erdäpfel
4 Eier
125 g Mehl
ca. 125 ml Milch
Prise Salz
Butter

Für die Fülle
100 g Steinpilze
1 Schalotte
1 kleine Knoblauchzehe
3 EL Butter
100 g gekochte Erbsenschoten
70 g gekochte Erdäpfel
Salz, Pfeffer
etwas Rindsuppe
1 EL gehackte Petersilie
2 EL geriebener Parmesan

Zum Anrichten
4–6 kleine Steinpilze
Olivenöl
$^1/_2$ Zweig Rosmarin
einige Blätter Salbei
Salz, Pfeffer
frittierte Blattpetersilie

Für die Crêpes die gekochten Erdäpfel schälen und noch heiß durch die Erdäpfelpresse drücken. Die Eier zur Masse geben und verrühren. Das Mehl nach und nach darüberstreuen und verrühren. So viel Milch einrühren, bis ein flüssiger Teig entsteht, salzen und 10 Minuten rasten lassen. In einer Pfanne wenig Butter erhitzen, Crêpeteig mit einem kleinen Schöpflöffel in die Pfanne gießen und verteilen.
Auf diese Weise bei mittlerer Hitze nach und nach dünne Crêpes backen, beiseitestellen.

Die Steinpilze in kleine Rauten schneiden und die Schalotte fein würfeln, beides mit dem fein gehackten Knoblauch in 1 EL Butter anschwitzen. Erbsenschoten und Erdäpfel in Rauten schneiden, zugeben und kurz durchschwenken. Etwas Rindsuppe und 1 EL eiskalte Butter untermischen, mit Salz, Pfeffer und gehackter Petersilie abschmecken. Die Crêpes füllen, einschlagen, mit Butterflocken und geriebenem Parmesan bestreuen. Im Rohr bei 170 °C 5 bis 7 Minuten backen.

Die zum Garnieren gedachten Steinpilze halbieren, in etwas Olivenöl mit ein wenig Rosmarin und Salbei, Salz und Pfeffer braten. Die Crêpes mit den Pilzen anrichten und mit frittierter Blattpetersilie garnieren.

KRUTZLER, DEUTSCH-SCHÜTZEN PERWOLFF 2002

Cuvée 90% Blaufränkisch, 10% Cabernet Sauvignon. In den Weingärten der Familie Krutzler werden die besten Trauben von 25 bis 30 Jahre alten Rebstöcken geerntet und in neuen Barriquefässern ausgebaut. Dieser Wein zeigt eine herrliche Beerenfrucht am Gaumen mit Würze sowie saftigem Schmelz und ist kraftvoll im Abgang.

Rehrückenmedaillons mit Essigzwetschken

40 Minuten/leicht

Zutaten für 4 Personen

800 g Rehrücken, zugeputzt
Salz, Pfeffer
60 ml Olivenöl
Rosmarin
Wacholderbeeren, zerdrückt
500 ml Wildfond
Schuss Rotwein
eiskalte Butter zum Montieren

Für die Serviettenknödel

500 g Weißbrot
250 ml Milch
120 g Butter
6 Eier
Salz, Pfeffer, Muskatnuss
etwas Zucker
Butter zum Braten
3 EL gekochte Selleriewürfel
3 EL geröstete Pinienkerne

Für die Essigzwetschken

500 g Zwetschken
Butter
1 EL Zucker
Portwein zum Aufgießen
etwas Zwetschkensaft oder roter Traubensaft
Balsamico
Honig

Den Rehrücken mit Salz und Pfeffer würzen, in heißem Olivenöl mit Rosmarin und Wacholder anbraten, dann im auf 200 °C aufgeheizten Rohr 6 bis 8 Minuten braten, anschließend 5 Minuten warm rasten lassen. Den Bratenrückstand mit Wildfond und einem Schuss Rotwein aufgießen und um die Hälfte reduzieren. Mit eiskalter Butter montieren.

Für die Serviettenknödelmasse Weißbrot entrinden und in Würfel schneiden. Brot in Milch einweichen. Eier trennen, Butter mit den Eidottern schaumig rühren und unter die Brotmasse heben. Eiklar zu Schnee schlagen und zum Schluss unterheben, mit Salz, Pfeffer und Muskatnuss würzen. Kleine Rollen formen und diese in Klarsichtfolie packen. In heißem Wasser etwa 25 Minuten gar ziehen lassen. Die Serviettenknödel in 7 bis 8 cm große Stücke schneiden, mit etwas Zucker auf einer Seite langsam braten. Mit gekochten, in Butter geschwenkten Selleriewürfeln und Pinienkernen belegen.

Für die Essigzwetschken die Zwetschken halbieren, entkernen und in heißer Butter mit etwas Zucker karamellisieren. Mit Portwein und etwas Zwetschkensaft aufgießen, reduzieren mit Balsamico, Honig und Butter abschmecken.

Den Rehrücken in Tranchen schneiden, mit der Sauce, einem Stück Serviettenknödel sowie den Essigzwetschken anrichten.

KOLLWENTZ, GROSSHÖFLEIN STEINZEILER 2003
Cuvée 80% Blaufränkisch, 11% Zweigelt, 9% Cabernet Sauvignon
Die Trauben stammen von älteren Rebstöcken von den Südhängen des Leithagebirges.
Diese Cuvée ist geprägt von der Blaufränkisch-Würze mit Brombeerton und reifem Tannin.
Ein kraftvoller, lagerfähiger Rotwein, der erst nach drei bis vier Jahren getrunken werden sollte.

Süßwein

Der Qualitätsmaßstab für süße Weine gemäß dem österreichischen Weingesetz ist die Klosterneuburger Mostwaage (KMW), die in Graden angegeben wird und den prozentualen Anteil von Zucker im Traubenmost angibt. Für eine Auslese sind mindestens 21° (das entspricht 210 Gramm Zucker pro Kilogramm Most) erforderlich, für eine Beerenauslese 25°.

STIL UND GESCHMACK

Die wirklich edelsüßen Konzentrate Beerenauslese, Ausbruch, Trockenbeerenauslese, Schilf-, Stroh- und Eiswein, also Weine mit hoher Zuckergradation, hohem Extrakt und meist mit Botrytis(=Edelfäule)-Noten, wachsen vorzugsweise im Burgenland, ganz vereinzelt und sehr vom Jahrgang abhängig auch in der Wachau, im Kamptal und in der Steiermark. Finessenreiche Prädikate vom Riesling und Grünen Veltliner sind besonders eindrucksvolle Weine. Man sollte aber stets darauf achten, dass der Wein deutlich süßer ist als das Dessert selbst. Zu einem Nuss-Soufflé passt eine süße Spätlese wunderbar, zu einem Mohr im Hemd oder Flan in Nougatsauce hingegen muss ein größeres Kaliber heran.

PASST ZU

Gänseleber
Entenleber
warmen Mehlspeisen
reifem Blauschimmelkäse
Soufflés
Mohr im Hemd
Marillenpalatschinken
Zwetschkenknödeln
Apfelstrudel
Topfenstrudel

Mandeltorte

1 Stunde/leicht

Zutaten

6 Eiklar
180 g Kristallzucker
100 g Datteln (oder andere Trockenfrüchte)
50 g Marzipan
2 TL Vanillezucker
Saft von 1 Zitrone (oder Orange)
200 g geriebene Mandeln
Butter für die Form
50 g Mandelblättchen
Staubzucker zum Bestreuen

Eiklar mit Zucker sehr steif schlagen. Datteln, Marzipan und Vanillezucker mit dem Orangen- oder Zitronensaft verrühren. Einen kleinen Teil vom Schnee mit der Dattelmasse und den Mandeln vermischen.
In Folge den restlichen Schnee unterheben.
Masse in eine gebutterte Tortenform füllen.
Im Rohr bei ca. 160 °C etwa 45 Minuten backen und anschließend mit den Mandelblättchen bestreuen.
Vor dem Servieren mit Staubzucker garnieren.

TIPP *Dazu passt ein Zwetschkenkompott oder auch Kumquatragout: 300 g Zwergorangen (Kumquats) klein schneiden und kurz blanchieren. Danach mit 1 EL Rohrzucker und etwas Zitronen- oder Orangensaft weich kochen. Zum Schluss 1 TL Puddingpulver einrühren und so binden.*

KRACHER, ILLMITZ BEERENAUSLESE 2005
Cuvée Chardonnay, Welschriesling
Der Chardonnay gibt diesem Wein die Kraft und der Welschriesling Frucht und Eleganz mit überreifem Weingartenpfirsichton. Diese Faktoren ergeben eine perfekte Harmonie. Dieser Wein ist der Klassiker des Hauses, ein Allrounder schlechthin.

Apfel-Zwetschken-Trauben-Auflauf

1 Stunde (ohne Stehzeiten)/aufwendig

Zutaten für 4 Personen

Für die Gratinmasse
100 g Butter
100 g Staubzucker
100 g Mehl
etwas Obers

2 säuerliche Äpfel
200 g Zwetschken
150 g Trauben
Zucker
Zitronensaft
1 Eiklar
einige EL Mandelblättchen

Für die Sauerrahmsauce
250 ml Sauerrahm
125 ml Joghurt
Staubzucker
Zitronensaft

Für die Gratinmasse Butter mit Zucker schaumig rühren, danach Mehl einrühren. Zum Schluss nur so viel Obers beigeben, dass eine glatte Masse entsteht.
Die fertige Masse zu einer dicken Rolle (Durchmesser ca. 5 cm) formen und für 3 Stunden in den Kühlschrank stellen.

Die Äpfel schälen, Kerngehäuse herausschneiden und in kleine dünne Scheiben schneiden. Die Zwetschken entkernen, in dünne Streifen schneiden. Die Trauben halbieren und entkernen. (Außerhalb der heimischen Traubensaison am besten gleich eine kernlose Sorte verwenden.)
Alles gut vermischen, nach Geschmack noch etwas Zucker und Zitronensaft dazugeben. Masse in eine große Auflaufform geben und mit der dünn aufgeschnittenen Gratinmasse bedecken, mit etwas Eiklar bestreichen und mit Mandelblättchen bedecken. Auflauf im Rohr bei 170 °C in 30 bis 40 Minuten goldbraun backen, danach herausnehmen und mindestens 10 Minuten stehen lassen.

Für die Sauce Sauerrahm und Joghurt verrühren, mit Staubzucker und Zitronensaft abschmecken. Auflauf mit Staubzucker bestreuen, mit der separat angerichteten Sauerrahmsauce zu Tisch bringen und erst dort portionieren.

KRACHER, ILLMITZ SCHEUREBE TBA NO. 6 Zwischen den Seen 2002
In der Nase duftet dieser Wein nach südländischen Früchten, auch im Geschmack erinnert er daran, dazu gesellen sich Grapefruit und feiner Blütenhonig.

Marillenscheiterhaufen

1 Stunde (ohne Stehzeit)/leicht

Zutaten für 4 Personen

1–2 EL Butter
200 g Brioche
50 ml warme Milch
15–20 Marillen
250 ml Marillensaft
2 cl Marillenlikör
1 TL Puddingpulver

Für den Eierguss
3 Eier
250 ml lauwarme Milch
30 g Zucker
Schuss Marillenbrandy

Für die Garnitur
3 Eiklar
60 g Zucker
etwas Marzipan
4 EL grob gehackte Mandeln

Die Butter vorsichtig erwärmen. Brioche in Scheiben schneiden und mit der Milch beträufeln.
Die Marillen kurz blanchieren, schälen, entsteinen und vierteln. Marillensaft mit dem Marillenlikör kurz aufkochen, Puddingpulver einrühren und unter permanentem Rühren sämig kochen. Die Marillen hineingeben und kurz ziehen lassen. Danach die Marillen in einem Sieb abtropfen lassen.

Für den Eierguss alle Zutaten vermischen und einen Teil davon über die Briochemasse gießen. Eine Form mit der flüssigen Butter benetzen, die Briochescheiben einschichten und mit etwas Eierguss überziehen. Dann die abgetropften Marillen einschichten und nochmals mit der getränkten Brioche abdecken. Restlichen Eierguss darübergießen und im Rohr bei 170 °C ca. 45 Minuten backen.

Die Eiklar mit dem Zucker steif schlagen und in einen Dressiersack umfüllen. Etwas Marzipan über den Scheiterhaufen reiben, mit dem Schnee aus dem Spritzsack verzieren und überbacken. Mit grob gehackten Mandeln garnieren. Dazu passt eine warme Vanillesauce.

KRACHER, ILLMITZ MUSKAT OTTONEL TBA 2004
Der Muskat ist eine schwierige Sorte mit wenig Ertrag. Er schmeckt vom Charaktertyp nach getrockneten Orangenschalen, etwas Honig und hat exotische Anklänge.

Warme Schokotarte nach Thieltges mit Birnen

20 Minuten/leicht

Zutaten für 4 Personen

Für die Tartes
40 g Staubzucker
50 g Butter
2 Eier
50 g Mehl
100 g flüssige dunkle Kuvertüre
50 g Kristallzucker

Für die Birnen
4 Birnen
Zitronenschale
Mark einer 1/2 Vanilleschote
2 Nelken
1 cl Williamsbrand
2–3 EL Zucker (ja nach Süße der Birnen)
250 ml Birnensaft (oder Wein-Wasser-Gemisch)

Zum Anrichten
Staubzucker

Staubzucker, Butter und Dotter schaumig rühren. Mehl und flüssige Kuvertüre unterrühren. Eiklar mit dem Kristallzucker schaumig schlagen und unterheben. Masse in kleine Tarteformen füllen und im auf 150 °C vorgeheizten Rohr ca. 9 Minuten backen.

Die Birnen schälen und mit einem Parisienne-Ausstecher kleine Kugeln ausstechen. Den verbleibenden Rest vom Birnenfruchtfleisch mit etwas Wasser und den Gewürzen weich dünsten, danach passieren und mit dem Birnendestillat abschmecken. Dieses Birnenmark beiseitestellen. Zucker in einer Pfanne karamellisieren, mit Birnensaft oder Wein-Wasser-Gemisch aufgießen und die Birnenkugeln darin weich kochen.

Tartes aus den Formen stürzen, überzuckern, mit den Birnenkugeln und dem Birnenmark garnieren.

ANMERKUNG *Das Originalrezept für diese Schokotarte stammt von Helmut Thieltges, Küchenchef im „Waldhotel Sonnora" in Dreis (Deutschland).*

SCHLOSS GOBELSBURG STEINSETZ Grüner Veltliner Eiswein 2004
Ein Wein mit karamelliger Note und straffer Säurestruktur.
Wird mit den Jahren noch besser.

Grießschmarren mit Krokant und Erdbeeren

30 Minuten/leicht

Zutaten für 4 Personen

Für den Grießschmarren
500 ml Milch
60 g Butter
Mark von 1 Vanilleschote
90 g Grieß
4 Eier
Schuss Rum
geriebene Schale von 1/2 Zitrone
80 g Kristallzucker
Fett für die Pfanne

Zum Anrichten
80 g Zucker
100 g geschälte und geröstete Haselnüsse
300 g Erdbeeren

Milch mit Butter und Vanillemark aufkochen, Grieß einrieseln lassen und weich kochen. Eier trennen. Eidotter, Rum und Zitronenschale in die warme Grießmasse rühren. Die Eiklar mit dem Kristallzucker zu steifem Schnee schlagen und unter die warme Grießmasse ziehen. In eine heiße, befettete Pfanne gießen und anschließend im auf 170 °C vorgeheizten Rohr ca. 20 Minuten backen.

Für den Krokant die Haselnüsse hacken. 80 g Zucker karamellisieren, gehackte Haselnüsse beigeben und kurz mitrösten. Diese Masse auf ein geöltes Blech geben und auskühlen lassen, anschließend hacken oder reiben. Den gebackenen Schmarren zerkleinern, mit geschnittenen Erdbeeren und Krokant servieren.

MALAT, FURTH BEI GÖTTWEIG DAS BESTE vom Riesling 2003
Aus einer Auswahl der reifsten Trauben wird dieser Wein gekeltert. In der Nase gelbe Pfirsiche sowie am Gaumen saftige Marille und eine weiche, füllige Textur machen diesen Wein nach ein paar Jahren zum Hochgenuss.

A
Alpenlachs auf Stampferdäpfeln ... 66
Apfelkuchen ... 90
Apfel-Lauch-Salat ... 52
Apfel-Stangensellerie ... 84
Apfel-Trauben-Sauerkraut ... 104
Apfel-Zwetschken-Trauben-Auflauf ... 134
Artischocken-Topinambur-Salat mit mariniertem Rindsfilet und Trüffelvinaigrette ... 24
Asiatischer Gemüsesalat ... 72
Avocadotatar ... 76
B
Backerbsen ... 60
Balsamicodressing ... 36
Beinfleisch mit Majoranerdäpfeln ... 102
Blauschimmelkäse mit geröstetem Brot und Apfel-Stangensellerie ... 84
Blinis mit Saiblingstatar und Saiblingskaviar ... 51
Bohnenragout mit Oktopus ... 40
Butterschnitzel vom Wels ... 48
C
Cannelloni mit Kräutern und Frischkäse ... 28
Curryschaumsuppe ... 96
D
Dörrzwetschken ... 108
E
Ei mit Schnittlauchcreme und Steinpilzen ... 120
Einfacher Apfelkuchen ... 90
Eingelegter Saibling auf Apfel-Lauch-Salat ... 52
Erdäpfel-Liebstöckel-Marinade ... 26
Erdäpfelsalat ... 14
Erdäpfel-Krautfleckerl ... 63
Erdäpfelcrêpes mit Steinpilzen ... 126
Essigzwetschken ... 128
F
Fasanenbrust mit Apfel-Trauben-Sauerkraut ... 104
Feigenconfit ... 88
Fisoleneintopf mit Lamm ... 100
Forellenfilet mit Nussbutterpüree und Steinpilzen ... 38
Freilandhuhn mit Schwarzwurzeln und schwarzer Trüffel ... 116
Frühlingskräutercannelloni mit Frischkäse ... 28
G
Gänseleber mit Pfirsich und rotem Pfeffer ... 112
Gebackener Mozzarella mit geschmorten Paradeisern ... 20
Gemüse, mediterran ... 60
Gemüsesalat, asiatisch ... 72
Geräucherter Kalbstafelspitz mit Erdäpfel-Liebstöckel-Marinade ... 26
Geschmorte Hirschkalbsschulter mit winterlichem Gemüsecassolette ... 124
Geschmorte Kalbshaxenscheiben ... 32
Grammeltascherl mit weißem Rahmrettich ... 16
Grießschmarren mit Krokant und Erdbeeren ... 140
H
Heilbutt mit Kürbiskernen gratiniert ... 68
Herbstlicher Pilzsalat mit geröstetem Brot ... 36
Hirschkalbsschulter, geschmort, mit winterlichem Gemüsecassolette ... 124
J
Jakobsmuscheln mit Minestrone ... 44
K
Kalbsbries „Wiener Art" mit Erdäpfelsalat ... 14
Kalbshaxenscheiben, geschmort ... 32
Kalbsleber mit Dörrzwetschken ... 108
Kalbstafelspitz, geräuchert, mit Erdäpfel-Liebstöckel-Marinade ... 26
Krokant ... 140
Kumquatragout ... 132
Kürbislasagne mit Kernöl ... 18
L
Lamm-Fisolen-Eintopf ... 100
Langostinos mit Chicorée ... 74
Linsen mit Butterschnitzel vom Wels ... 48

M
Majoranerdäpfel ... 102
Mandeltorte ... 132
Marillenscheiterhaufen ... 136
Mariniertes Rindsfilet mit Artischocken-Topinambur-Salat und Trüffelvinaigrette ... 24
Maronivinaigrette ... 88
Mediterranes Gemüse ... 60
Minestrone mit Jakobsmuscheln ... 44
Mojo ... 94
Mozzarella, gebacken, mit geschmorten Paradeisern ... 20

N
Nussbutterpüree ... 38

O
Ochsenkotelett mit gefüllter Zwiebel ... 122
Oktopus-Bohnenragout ... 40

P
Paprikaküken ... 23
Paradeiser, geschmort ... 20
Paradeiser, getrocknet ... 80
Paradeissalat, lauwarm ... 54
Perlhuhn-Salat mit Feigen und Maronivinaigrette ... 88
Pilzsalat, herbstlich, mit geröstetem Brot ... 36

Q
Quiche im Palatschinkenmantel ... 30

R
Radicchio-Risotto mit Prosciutto ... 43
Rahmrettich, weißer ... 16
Rehrückenmedaillons mit Essigzwetschken ... 128
Reisteigröllchen ... 108
Rindsfilet, mariniert, mit Artischocken-Topinambur-Salat und Trüffelvinaigrette ... 24
Riesengarnelen mit Avocadotatar ... 76
Risotto mit Radicchio und Prosciutto ... 43
Rote Curryschaumsuppe ... 96

S
Saibling, eingelegt, auf Apfel-Lauch-Salat ... 52
Saiblingstatar mit Blinis und Saiblingskaviar ... 51
Salat von zart geräuchertem Perlhuhn mit Feigen und Maronivinaigrette ... 88
Schnittlauchcreme ... 120
Schokotarte, warm, nach Thieltges ... 138
Seeteufel mit Mojo und mediterranem Gemüse ... 94
Seezunge mit lauwarmem Paradeissalat ... 54
Seezunge mit Oktopus-Bohnenragout ... 40
Senfgurken ... 64
Serviettenknödel ... 128
Spaghettini mit Spargel und Rauchlachs ... 80
Spanferkel mit Goderl ... 34
Spinatröllchen ... 116
Stampferdäpfel ... 66
Steinbutt im Olivenölsud mit mediterranem Gemüse ... 60
Steinpilze in Erdäpfelcrêpes ... 126
Steinpilze mit Forellenfilet und Nussbutterpüree ... 38
Stöckelkraut ... 34

T
Thunfischröllchen mit asiatischem Gemüsesalat ... 72
Trüffelvinaigrette ... 24

V
Vier-Minuten-Ei mit Schnittlauchcreme und Steinpilzen ... 120

W
Warme Schokotarte nach Thieltges ... 138
Wels-Butterschnitzel ... 48
Wurzelschaumsuppe mit geräuchertem Wels ... 56

Z
Zander mit Erdäpfel-Krautfleckerln ... 63
Zander mit Senfgurken ... 64
Zwiebel, gefüllt ... 122